趣味折纸

（一）

编者的话

编著 卢青青

本书收录了丰富多彩、各式各样的折纸内容。有可爱的动物、多姿的植物、美丽的禽鸟、漂亮的服饰……

折纸是一种益智游戏，可以锻炼孩子们手、眼的协调能力，培养孩子的观察力、创造力。折纸也是一门艺术，能使孩子通过折叠出不同形态的物体形象以表达自己独特的审美感受，对孩子的成长大有益处。一张薄薄的纸片，经过折叠、剪裁、翻、拉等手法，就可以折叠出各式各样的物品，这让孩子们增强自信心同时也让家长感到自豪。

《趣味折纸》文字准确生动，步骤图清晰明确，折叠出来的形象充满童真、童趣，它一定将成为小朋友们的良师益友，陪伴他们度过美好的童年。

吉林摄影出版社

图书在版编目(CIP)数据

趣味折纸 / 卢青青编著 . —长春：吉林摄影出版社
2009.5

ISBN 978-7-80757-417-0

Ⅰ.趣… Ⅱ.卢… Ⅲ.折纸—技法(美术)—儿童读物
Ⅳ.J528.2-49

中国版本图书馆CIP数据核字(2009)第045242号

趣味折纸　　（一）

出 版 人	孙洪军
责任编辑	单媛媛
编　　著	卢青青
出版发行	吉林摄影出版社
地　　址	长春市泰来街1825号
邮　　编	130021
印　　刷	郑州金秋彩色印务有限公司
开　　本	889mmX1194mm　　1/24
印　　张	10
版　　次	2009年5月第1版
印　　次	2009年5月第1次印刷
书　　号	ISBN 978-7-80757-417-0
全套定价	20.00元

如有印装质量问题，请与印刷厂直接调换。

邮编：450000　电话：0371—63507011　　63507080

图 录

熟悉折纸符号 ………07

折叠符号图解 ………08

小猫 …………13

公鸡 …………14

孔雀 …………16

鸭子 …………18

天鹅 …………19

飞鹤 …………20

水鸟1…………22

水鸟2…………23

鹦鹉 …………24

乌鸦 …………26

燕鱼 …………28

热带鱼 ………29

鲶鱼 …………30

小鱼 …………31

鲽鱼 ……………32

飞鱼 ……………33

鱿鱼 ……………34

章鱼 ……………35

海蜇 ……………37

龙虾 ……………39

螃蟹 ……………40

蜗牛 ……………42

瓢虫 ……………44

蝗虫1……………45

蝗虫2……………46

老鼠1……………49

老鼠2……………52

梁龙 ……………54

火鸡 ……………56

青蛙1……………58

青蛙2……………61

海豹 ……………62

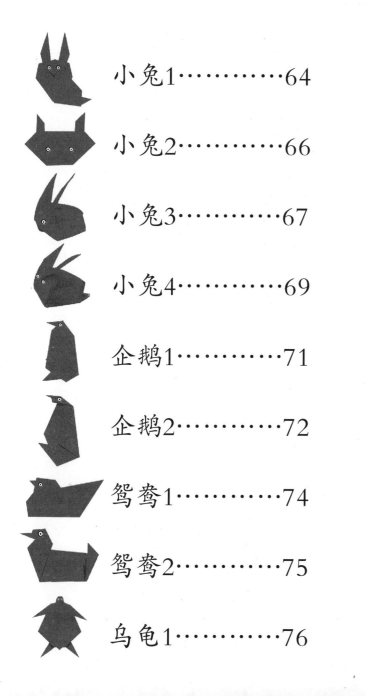
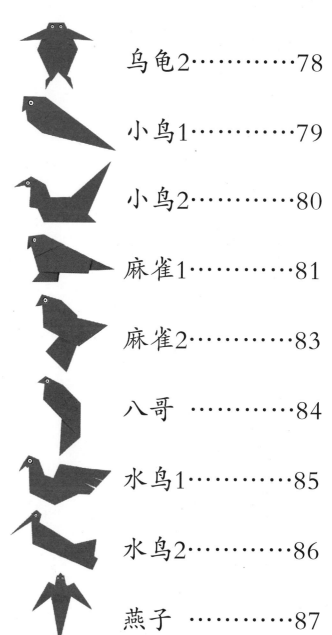

小兔1 ………………64

小兔2 ………………66

小兔3 ………………67

小兔4 ………………69

企鹅1 ………………71

企鹅2 ………………72

鸳鸯1 ………………74

鸳鸯2 ………………75

乌龟1 ………………76

乌龟2 ………………78

小鸟1 ………………79

小鸟2 ………………80

麻雀1 ………………81

麻雀2 ………………83

八哥 ………………84

水鸟1 ………………85

水鸟2 ………………86

燕子 ………………87

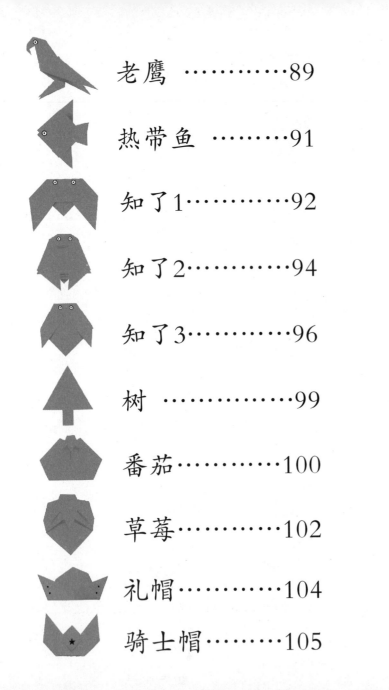
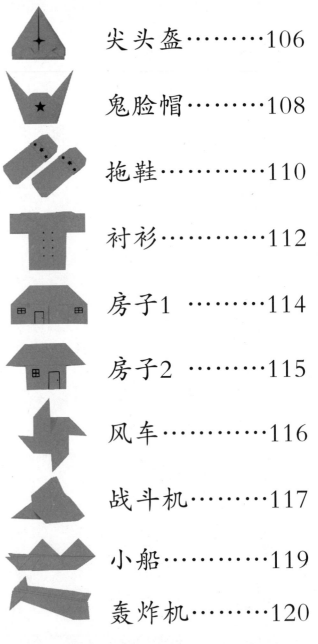

老鹰 ·················89

热带鱼 ·················91

知了1·················92

知了2·················94

知了3·················96

树 ·················99

番茄 ·················100

草莓 ·················102

礼帽 ·················104

骑士帽 ·················105

尖头盔 ·················106

鬼脸帽 ·················108

拖鞋 ·················110

衬衫 ·················112

房子1 ·················114

房子2 ·················115

风车 ·················116

战斗机 ·················117

小船 ·················119

轰炸机 ·················120

熟悉折叠符号

- - - - - - - - - - - - - - - - -

谷线

- - - - - - - - - - - - - - - - -

峰线

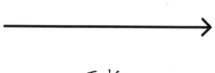

正折

反折

翻折

曲折

卷折

翻转

剪开

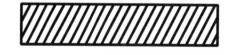

剪掉

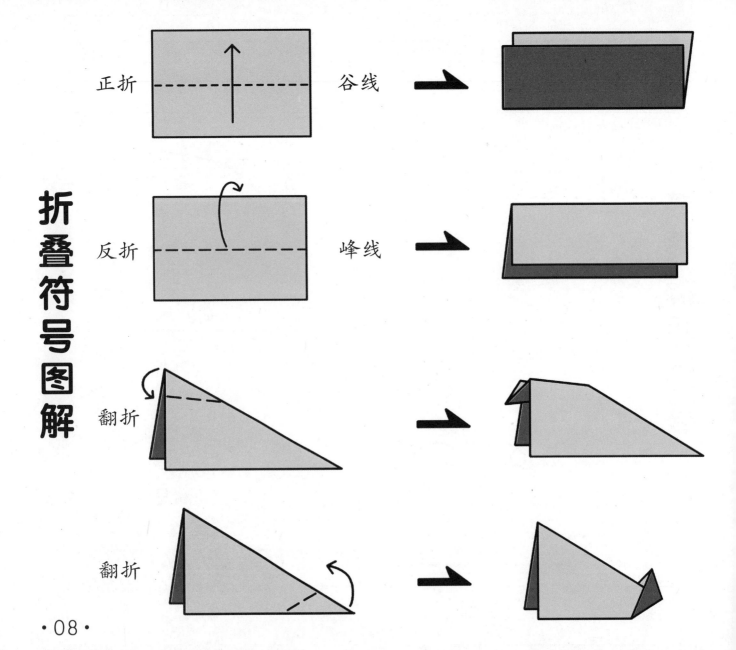

折叠符号图解

正折　谷线

反折　峰线

翻折

翻折

翻转

曲折

剪开

剪掉

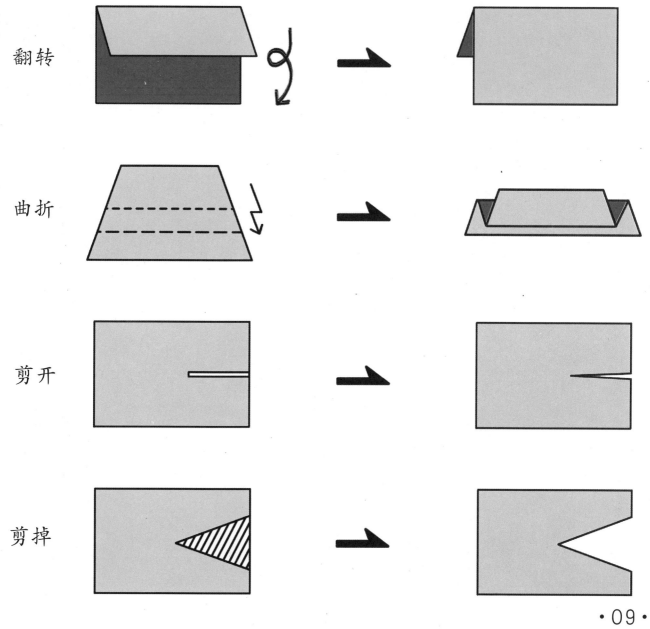

双正方形折法

① 将一张正方形纸沿虚线折出折痕。

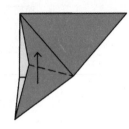

② 对折成三角形。

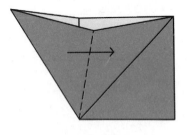

③ 展开一角沿虚线向中间压折。

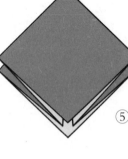

④ 将它翻转过来并把另一角压折。

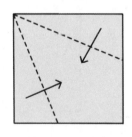

⑤ 双正方形折成。

单菱形折法

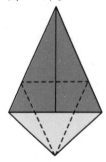

① 将一张正方形纸沿虚线向中间折。

② 沿虚线折出折痕。

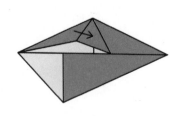

③ 展开一角并压实。

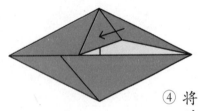

④ 将另一个角展开并把它压实。

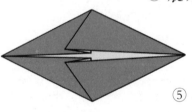

⑤ 单菱形折成。

双菱形折法

① 将一张正方形纸
沿虚线折出折痕。

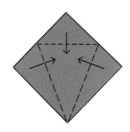

② 折成双正方形。

③ 沿虚线朝箭头方
向折出折痕。

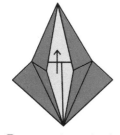

④ 把一角拉起来，
两边向中间压折。

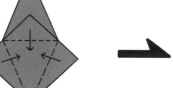

⑤ 翻转后沿虚线折
出折痕。

⑥ 双菱形折成。

双三角形折法

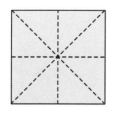

① 将一张正方形纸
沿虚线折出折痕。

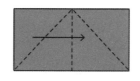

② 然后对折成长方
形。

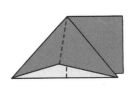

③ 展开一角向里面
压折。

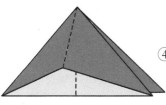

④ 将另一个角展开
并向里面压折。

⑤ 双三角形折成。

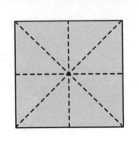

① 将一张正方形纸
沿虚线折出折痕。

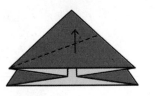

② 折成双三角形。

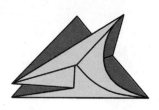

③ 沿虚线朝箭头方
向折。

双丫形折法

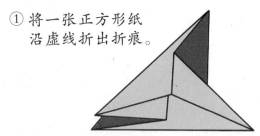

④ 折好以后翻转。

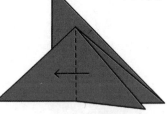

⑤ 把一角沿虚线向
箭头方向折叠。

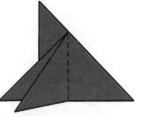

⑥ 折好以后压实。

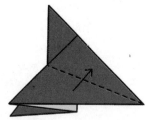

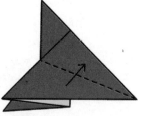

⑦ 反面的折法一样。

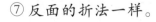

⑧ 丫字形折成。

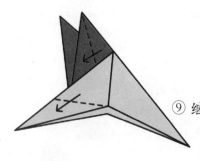

⑨ 继续沿虚线翻折。

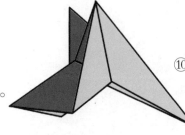

⑩ 另一种丫字形折
成。

小猫

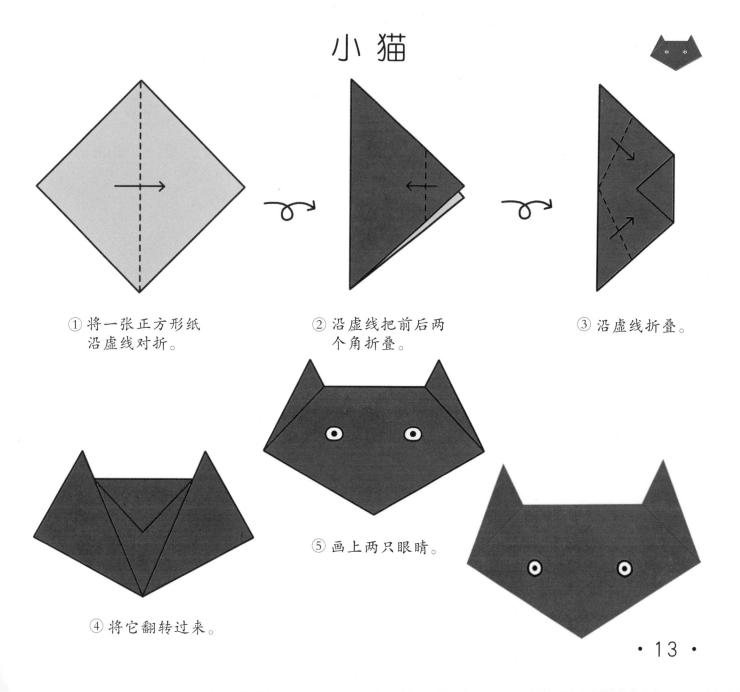

① 将一张正方形纸
沿虚线对折。

② 沿虚线把前后两
个角折叠。

③ 沿虚线折叠。

④ 将它翻转过来。

⑤ 画上两只眼睛。

公 鸡

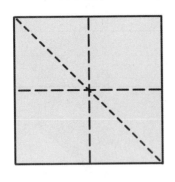

① 将一张正方形纸
沿虚线折叠。

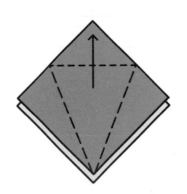

② 沿虚线向上拉折。

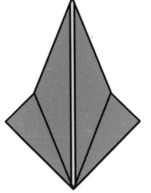

③ 然后翻转过来。

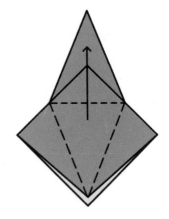

④ 沿虚线向上拉折。

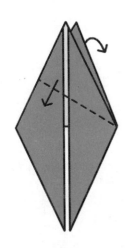

⑤ 沿虚线向下压折,
背面折法相同。

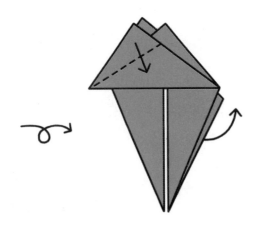

⑥ 沿虚线向下折叠。

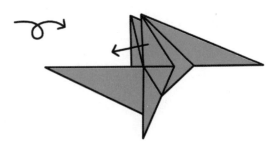

⑦ 沿虚线向箭头方
向折叠,背面一
样。

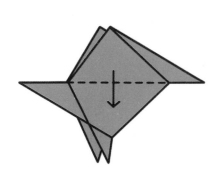

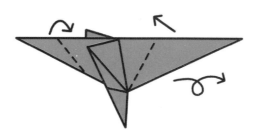

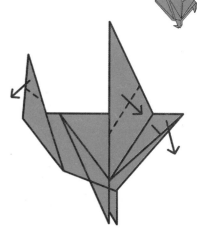

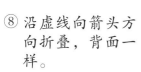

⑧ 沿虚线向箭头方
向折叠，背面一
样。

⑨ 沿虚线向箭头方
向翻折。

⑩ 沿虚线向箭头方
向翻折。

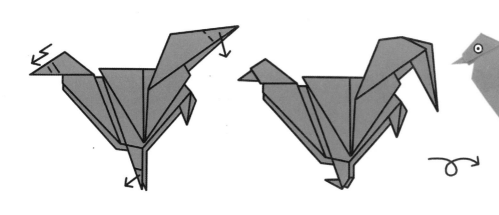

⑪ 沿虚线向箭头方
向折叠。

⑫ 大公鸡折叠好了。

孔 雀

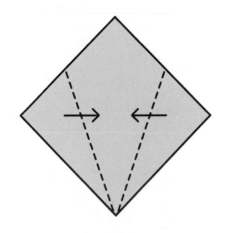

① 将一张正方形纸
沿虚线折叠。

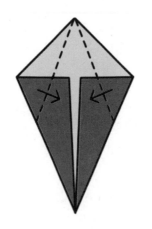

② 沿虚线折叠。

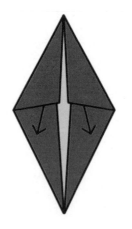

③ 将口袋拉开。

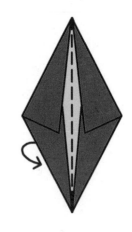

④ 沿虚线折叠。

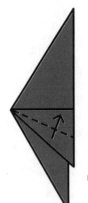

⑤ 沿虚线向箭头方
向折叠，背面一
样。

⑥ 沿虚线向箭头方
向折叠。

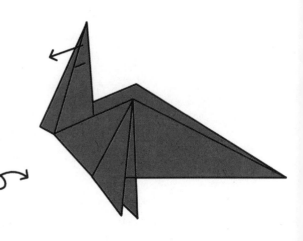

⑦ 沿虚线翻折。

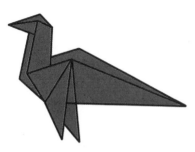

⑧ 折叠好孔雀的前
身。

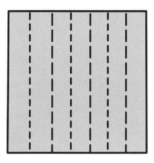

⑨ 将一张正方形纸
沿虚线折叠。

⑩ 折叠成图示模样。

⑪ 沿虚线向箭头方
向折叠。

⑪ 折叠好孔雀的尾
巴。

⑫ 把前身和尾巴粘
在一起，画上眼
睛。

鸭 子

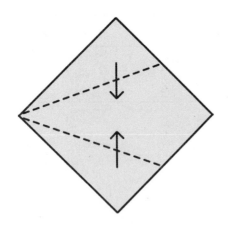

① 将一张正方形纸沿虚线折叠。

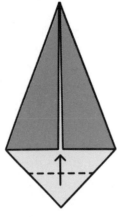

② 沿虚线向箭头方向折叠，插入里面。

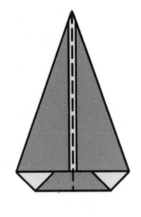

③ 沿虚线向背面对折。

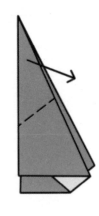

④ 沿虚线向上翻折。

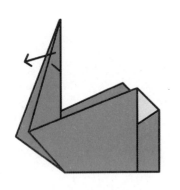

⑤ 沿虚线向左翻折。

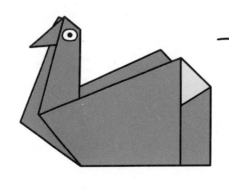

⑥ 画上眼睛，鸭子就折叠好了。

天 鹅

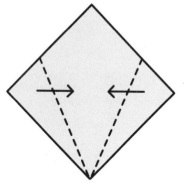

① 将一张正方形纸
沿虚线折叠。

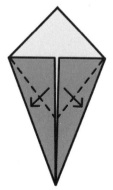

② 沿虚线折叠。

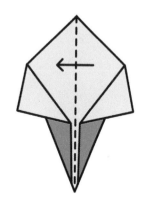

③ 沿虚线向左折叠。

④ 沿虚线向箭头方
向翻折。

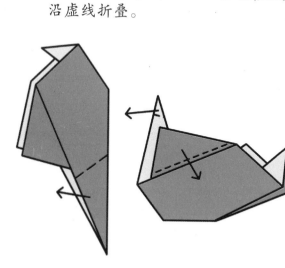

⑤ 沿虚线向箭头方
向翻折。

⑥ 沿虚线向箭头方
向折叠。

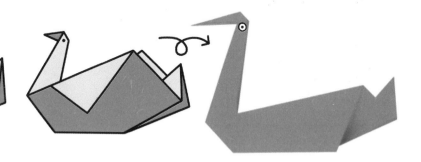

⑦ 画上眼睛，天鹅
折叠好了。

飞 鹤

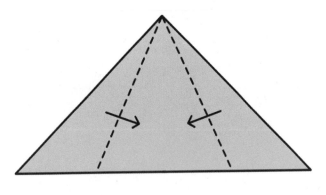

① 将一张三角形沿
虚线折叠。

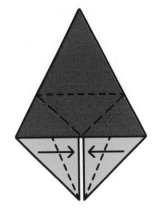

② 沿虚线折叠。

③ 沿虚线向下折叠，
翻过来。

④ 沿虚线向箭头方
向折叠。

⑤ 沿虚线向箭头方
向折叠，翻过来。

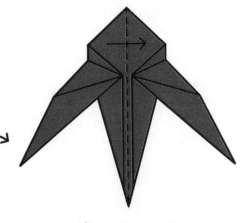

⑥ 沿虚线对折。

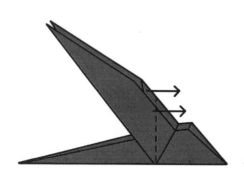

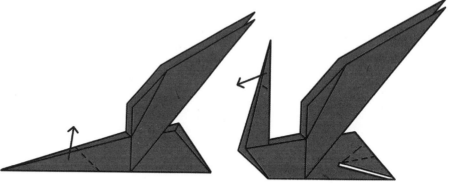

⑦ 沿虚线向箭头方
向折叠。

⑧ 沿虚线向箭头方
向翻折。

⑨ 沿虚线向箭头方
向翻折，按图示
剪开。

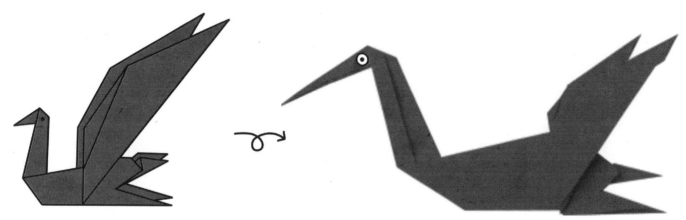

⑩ 画好眼睛，折叠
完成。

水鸟 ①

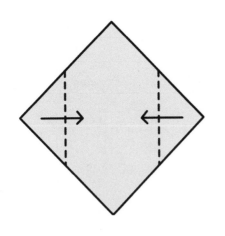

① 将一张正方形纸
沿虚线折叠。

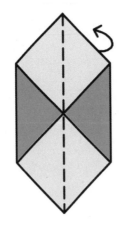

② 沿虚线向箭头方
向折叠。

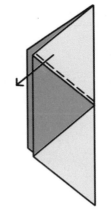

③ 沿虚线向箭头方
向折叠。

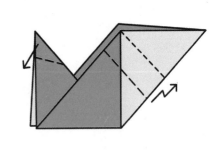

④ 沿虚线向箭头方
向折叠。

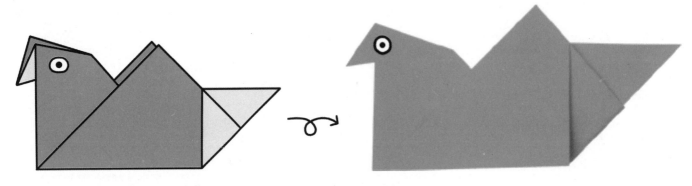

⑤ 画好眼睛，折叠
好水鸟。

水鸟 ②

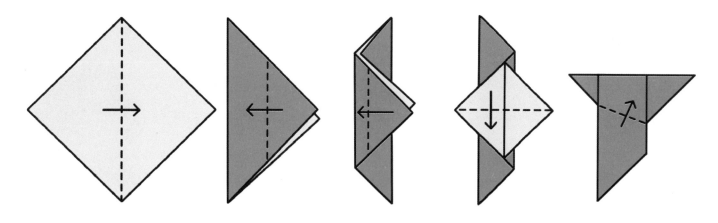

① 将一张正方形纸沿虚线折叠。

② 沿虚线向左折叠。

③ 将上面一层沿虚线向右折叠。

④ 沿虚线向箭头方向对折。

⑤ 沿虚线向上折叠。

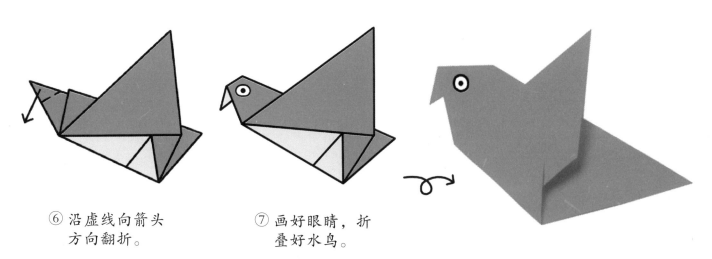

⑥ 沿虚线向箭头方向翻折。

⑦ 画好眼睛，折叠好水鸟。

鹦 鹉

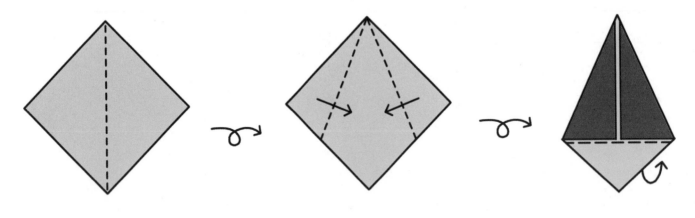

① 将一张正方形纸
　沿虚线折出折痕。

② 沿虚线向箭头方
　向折叠。

③ 沿虚线向箭头方
　向折叠。

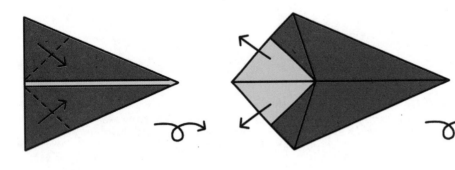

④ 沿虚线向箭头方
　向折叠。

⑤ 按图示拉出。

⑥ 沿虚线向箭头方
　向折叠。

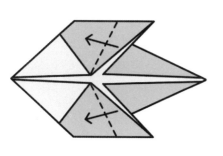

⑦ 沿虚线向箭头方
向折叠。

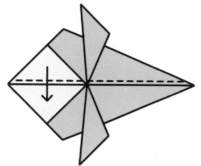

⑧ 沿虚线对折。

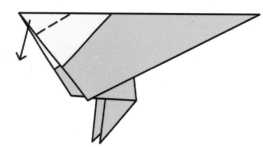

⑨ 沿虚线向箭头方
向翻折。

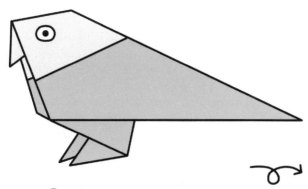

⑩ 画好眼睛，折叠完
成。

乌 鸦

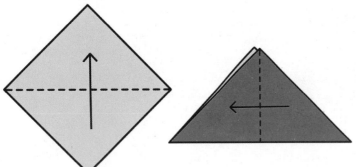

① 将一张正方形纸
沿虚线向箭头方
向折叠。

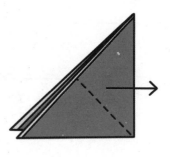

② 沿虚线向箭头方
向折叠。

③ 沿虚线拉出四边
形。

④ 沿虚线向里折叠。

⑤ 沿虚线向箭头方
向折叠。

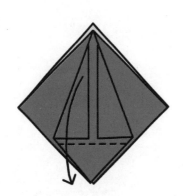

⑥ 把两侧打开，向
下拉。

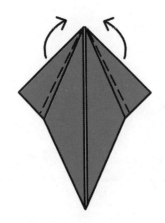

⑦ 内侧相同。

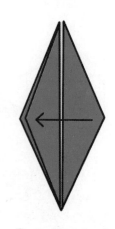

⑧ 沿箭头折叠。

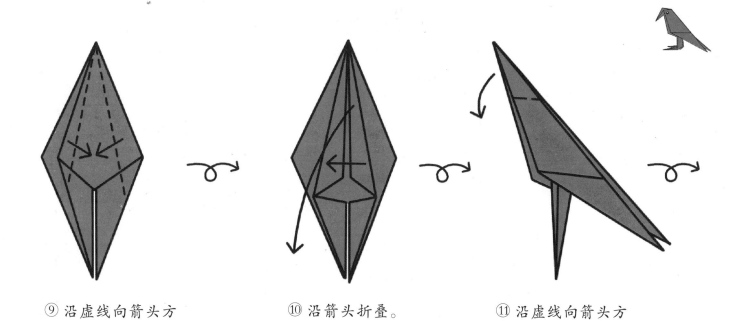

⑨ 沿虚线向箭头方
　向折叠。

⑩ 沿箭头折叠。

⑪ 沿虚线向箭头方
　向折叠。

⑫ 沿虚线折叠。

⑬ 画上眼睛，乌鸦
　折叠完成。

燕 鱼

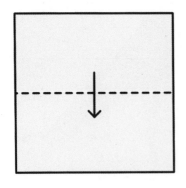
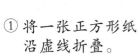

① 将一张正方形纸
沿虚线折叠。

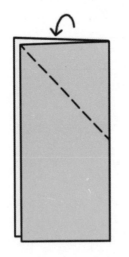

② 沿虚线向内部翻
折。

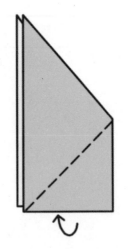

③ 沿虚线向内部翻
折。

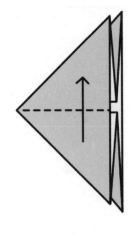

④ 沿虚线向右折叠。

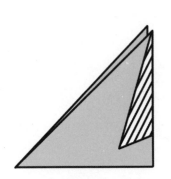

⑤ 按图示剪去阴影
部分后展开。

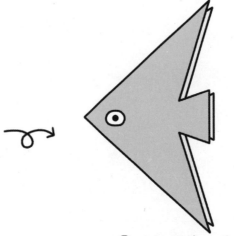
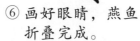

⑥ 画好眼睛，燕鱼
折叠完成。

热带鱼

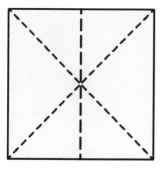
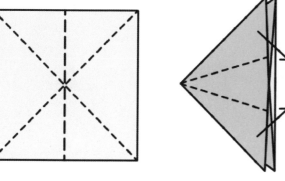
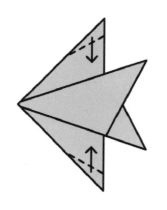
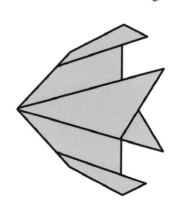

① 将一张正方形纸
沿虚线折叠。

② 把前面一层纸沿
虚线折叠。

③ 沿虚线向中间折
叠。

④ 然后翻转过来。

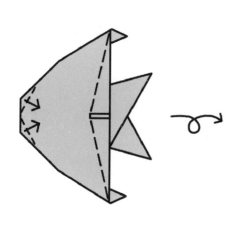
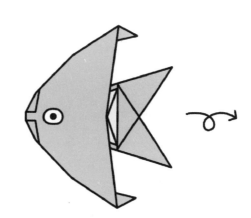

⑤ 按图示剪开后沿
虚线折叠。

⑥ 画好眼睛，折叠
好热带鱼。

鲶 鱼

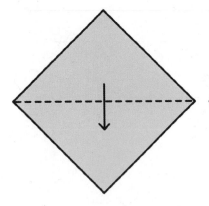

① 将一张正方形纸
沿虚线折出折痕。

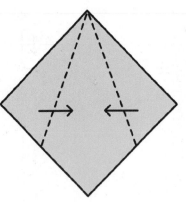

② 沿虚线向中间折
叠。

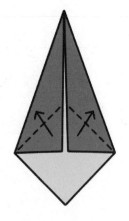

③ 沿虚线向箭头方
向折叠。

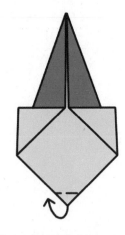

④ 沿虚线向背面折
叠。

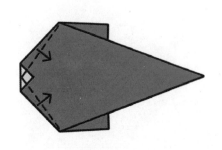

⑤ 沿虚线向箭头方
向折叠。

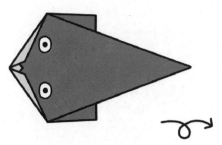
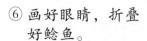

⑥ 画好眼睛，折叠
好鲶鱼。

小 鱼

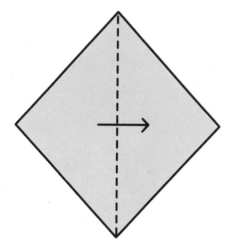

① 将一张正方形纸
沿虚线折叠。

② 沿虚线向中间翻
折。

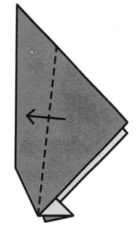

③ 沿虚线向箭头方
向折叠，背面相
同。

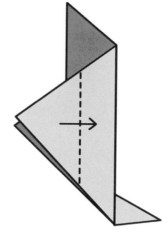

④ 沿虚线向箭头方
向折叠，背面相
同。

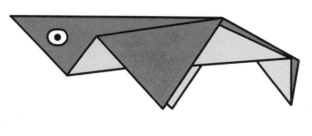

⑤ 画好眼睛，折叠
好小鱼。

鲽 鱼

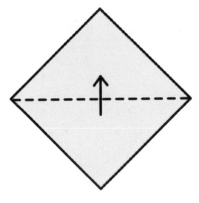

① 把一张正方形沿
虚线对折。

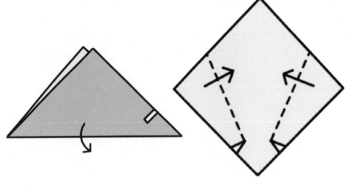

② 按图示剪开，打
开图形。

③ 沿虚线朝箭头方
向折叠。

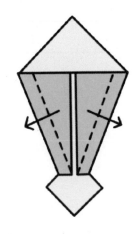

④ 沿虚线朝箭头方
向折叠。

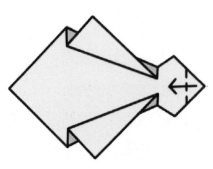

⑤ 沿虚线朝箭头方
向折叠。

⑥ 画上眼睛，鲽鱼
折叠完成。

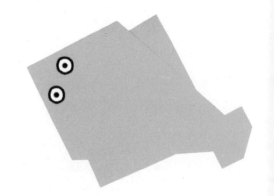

飞 鱼

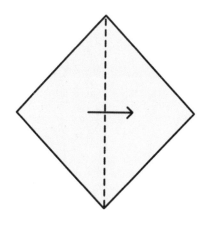

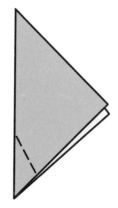

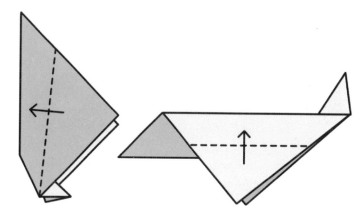

① 把一张正方形沿
　虚线对折。

② 沿虚线折进去。

③ 沿虚线朝箭头方
　向折叠。

④ 沿虚线朝箭头方
　向折叠。

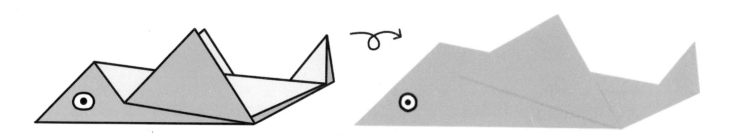

⑤ 画上眼睛，飞鱼
　折叠完成。

鱿 鱼

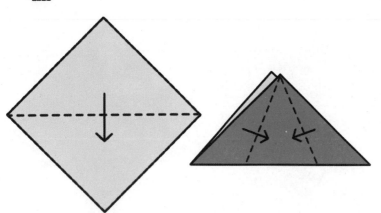

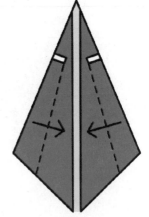

① 把一张正方形沿
虚线对折。

② 沿虚线朝箭头方
向折叠。

③ 按图示剪开，沿
虚线朝箭头方向
折叠。

④ 按图3折叠之后，
得此形状。

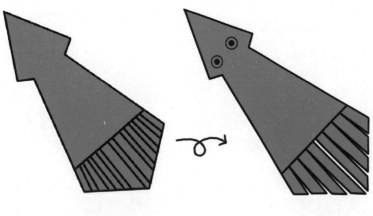

⑤ 沿剪开符号剪开。

⑥ 画上眼睛，鱿鱼
折叠完成。

章 鱼

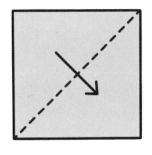
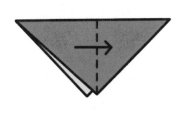
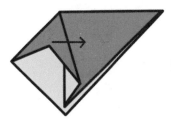
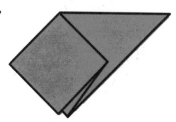

① 把一张正方形沿
虚线对折。

② 沿虚线朝箭头方
向折叠。

③ 沿虚线朝箭头方
向折叠。

④ 按图示折叠成此
图。

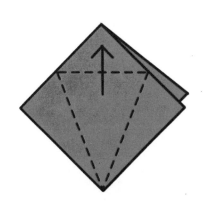
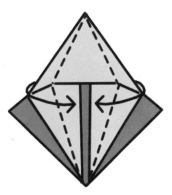
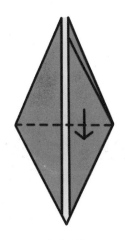

⑤ 按图4折叠之后，
沿虚线朝箭头方
向折叠。

⑥ 沿虚线朝箭头方
向折叠。

⑦ 沿虚线朝箭头方
向折叠。

⑧ 按图7折叠成此形。

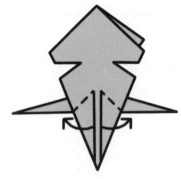

⑨ 沿虚线朝箭头方向折叠。

⑩ 剪掉标有剪掉符号的部分。

⑪ 沿虚线朝箭头方向折叠。

⑫ 沿虚线朝箭头方向折叠。

⑬ 沿虚线朝箭头方向折叠，两角向内折进。

⑭ 画上眼睛，章鱼折叠完成。

海蜇

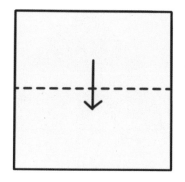

① 把一张正方形沿
虚线对折。

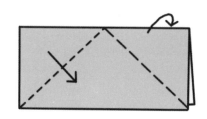

② 沿虚线朝箭头方
向折叠。

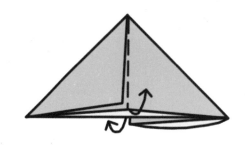

③ 沿虚线朝箭头方
向折叠。

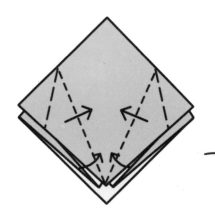

④ 沿虚线朝箭头方
向折叠。

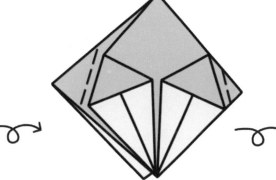

⑤ 沿虚线朝箭头方
向折叠，两角向
内折进。

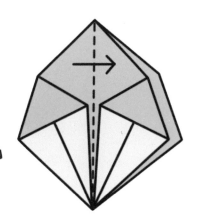

⑥ 沿虚线朝箭头方
向折叠。

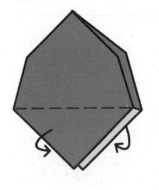

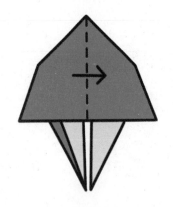

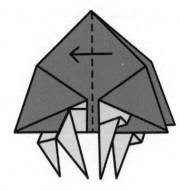

⑦ 沿虚线朝箭头方向折叠。

⑧ 沿虚线朝箭头方向折叠。

⑨ 沿虚线朝箭头方向曲折。

⑩ 沿虚线朝箭头方向折叠。

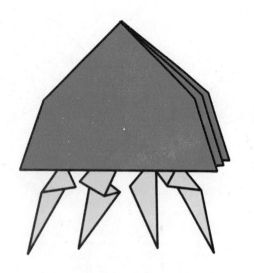

⑪ 海蜇折叠完成。

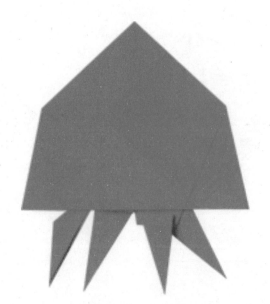

龙 虾

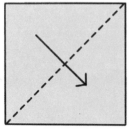

① 把一张正方形
沿虚线对折。

② 沿虚线朝箭头
方向折叠。

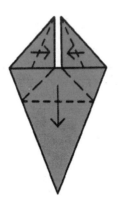

③ 沿虚线朝箭头
方向折叠。

④ 按图3折叠，
得此图形。

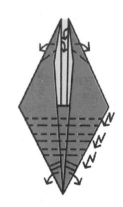

⑤ 按图示沿虚线
朝箭头方向曲
折。

⑥ 沿虚线朝箭头
方向折叠。

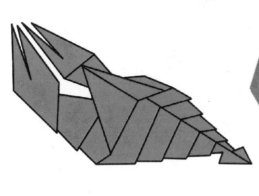

⑦ 画上眼睛，龙虾
折叠完成。

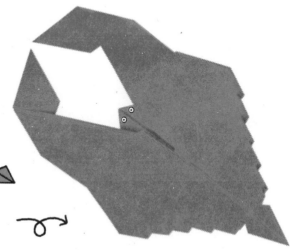

螃 蟹

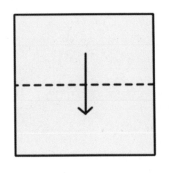

① 把一张正方形沿
虚线对折。

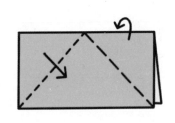

② 沿虚线朝箭头方
向折叠。

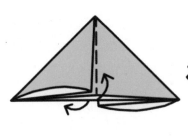

③ 沿虚线朝箭头方
向折叠。

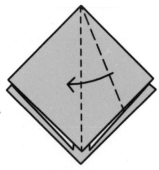

④ 沿虚线朝箭头方
向折叠。

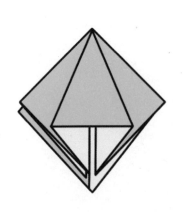

⑤ 按图4折叠之后，
得此图形。

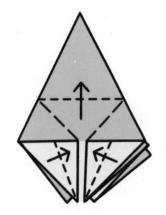

⑥ 沿虚线朝箭头方
向折叠。

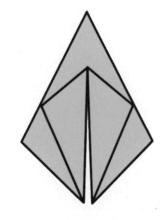

⑦ 按图6折叠成此形。

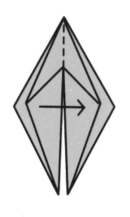

⑧ 沿虚线朝箭头方
　向折叠。

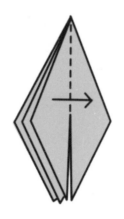

⑨ 沿虚线朝箭头方
　向折叠。

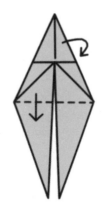

⑩ 沿虚线朝箭头方
　向折叠。

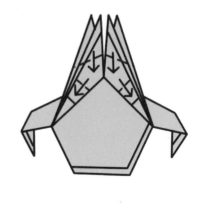

⑪ 沿虚线朝箭头方
　向折叠。

⑫ 沿虚线朝箭头方
　向折叠。

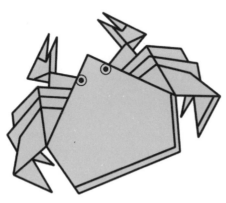

⑬ 画上眼睛，螃蟹
　折叠完成。

蜗 牛

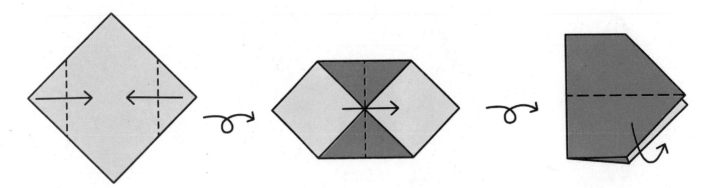

① 沿虚线向箭头方
　向折叠。

② 沿虚线向箭头方
　向折叠。

③ 沿虚线向箭头方
　向折叠。

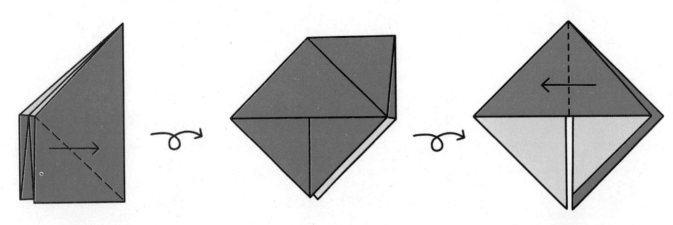

④ 将前面的口袋部
　分展开，沿虚线
　折成图5形状。

⑤ 背面也同图4一
　样折叠。

⑥ 沿虚线向箭头方
　向折叠。

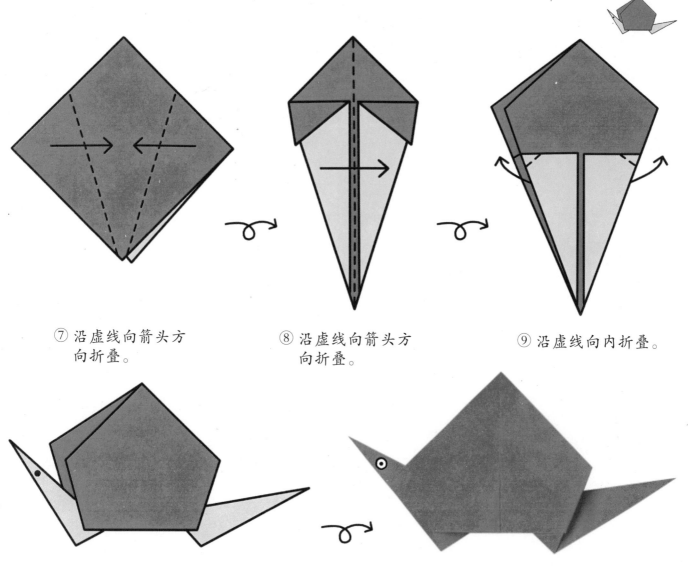

⑦ 沿虚线向箭头方
向折叠。

⑧ 沿虚线向箭头方
向折叠。

⑨ 沿虚线向内折叠。

⑩ 画上眼睛，折叠
成蜗牛。

瓢 虫

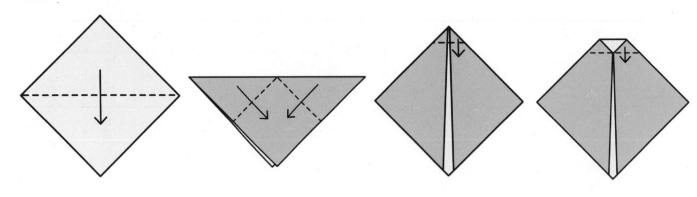

① 将一张正方形纸
沿虚线向箭头方
向折叠。

② 沿虚线向箭头方
向折叠。

③ 沿虚线向箭头方
向折叠。

④ 沿虚线向箭头方
向折叠。

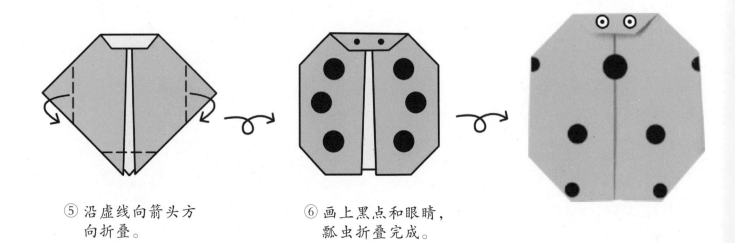

⑤ 沿虚线向箭头方
向折叠。

⑥ 画上黑点和眼睛，
瓢虫折叠完成。

蝗 虫

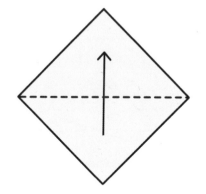

① 将一张正方形纸
沿虚线向箭头方
向折叠。

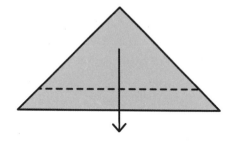

② 沿虚线将前面的
三角形向箭头方
向折叠。

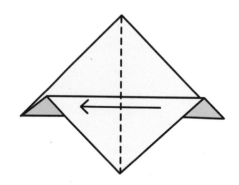

③ 沿虚线向箭头方
向折叠。

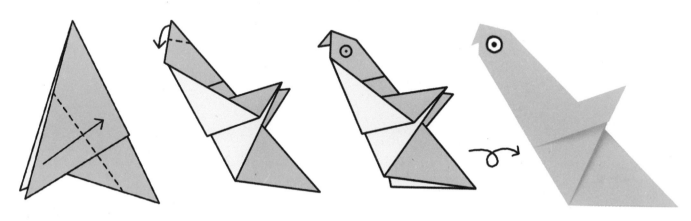

④ 将前面的部分沿
虚线向箭头方向
折叠，后面也同
样折叠。

⑤ 沿虚线向内翻折。

⑥ 画上眼睛，折成
蝗虫。

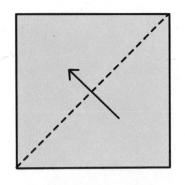

蝗 虫 ②

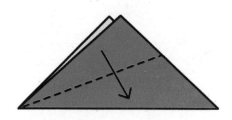

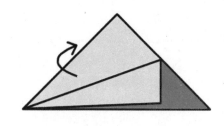

① 将一张正方形纸沿虚线向箭头方向折叠。

② 沿虚线向箭头方向折叠。

③ 沿虚线向背面折叠。

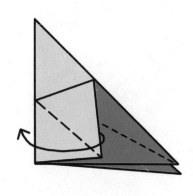

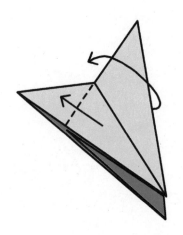

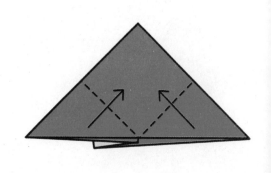

④ 打开袋子。

⑤ 按图示打开。

⑥ 沿虚线向箭头方向折叠。

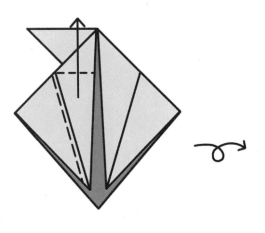

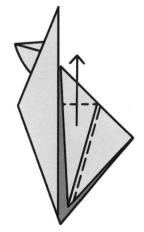

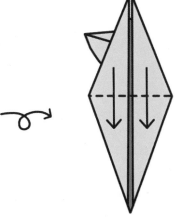

⑦ 沿虚线向箭头方
向折叠。

⑧ 沿虚线向箭头方
向折叠。

⑨ 沿虚线向箭头方
向折叠，翻过来。

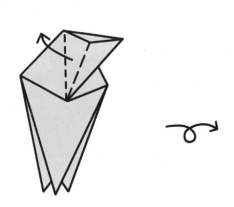

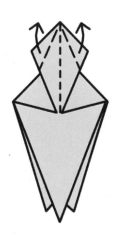

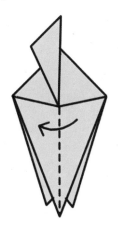

⑩ 沿虚线拉开。

⑪ 沿虚线向箭头方
向折叠。

⑫ 沿虚线向箭头方
向折叠。

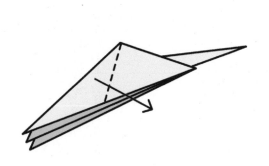

⑬ 沿虚线向箭头方
向折叠。

⑭ 沿虚线向内折叠。

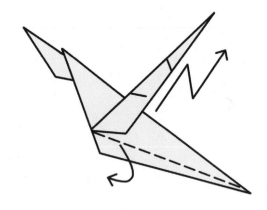

⑮ 沿虚线向内折后
曲折。

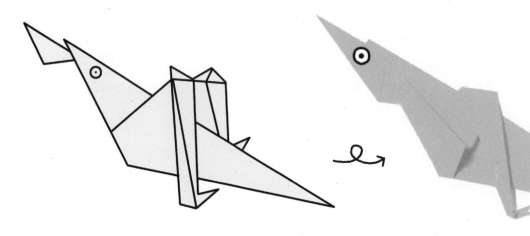

⑯ 画上眼睛，蝗虫
折叠完成。

老鼠

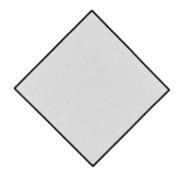

① 取一张正方形纸。

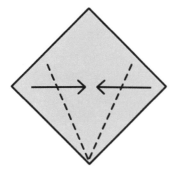

② 沿虚线向箭头方向折叠。

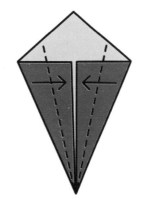

③ 沿虚线向箭头方向折叠。

④ 沿虚线折至背面。

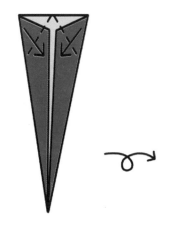

⑤ 沿虚线折叠。

⑥ 翻过来。

⑦ 沿虚线向箭头方向折叠。

⑧ 将记号部分的角处还原。

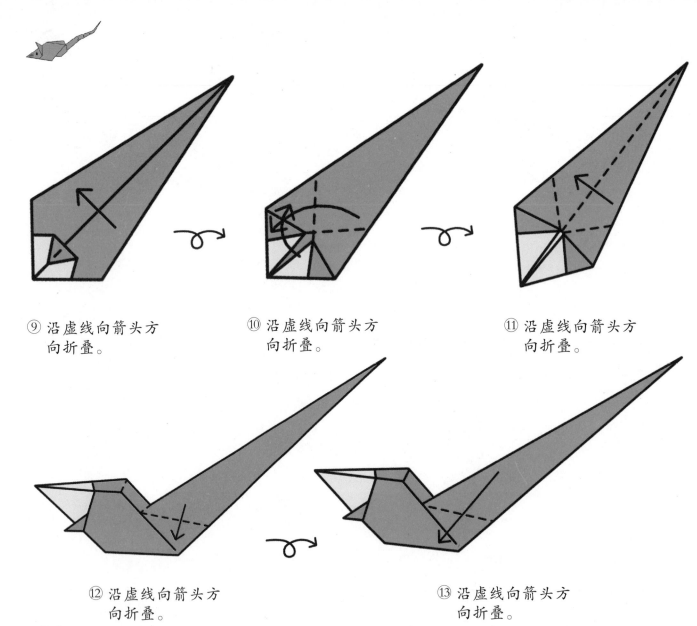

⑨ 沿虚线向箭头方
  向折叠。

⑩ 沿虚线向箭头方
  向折叠。

⑪ 沿虚线向箭头方
  向折叠。

⑫ 沿虚线向箭头方
  向折叠。

⑬ 沿虚线向箭头方
  向折叠。

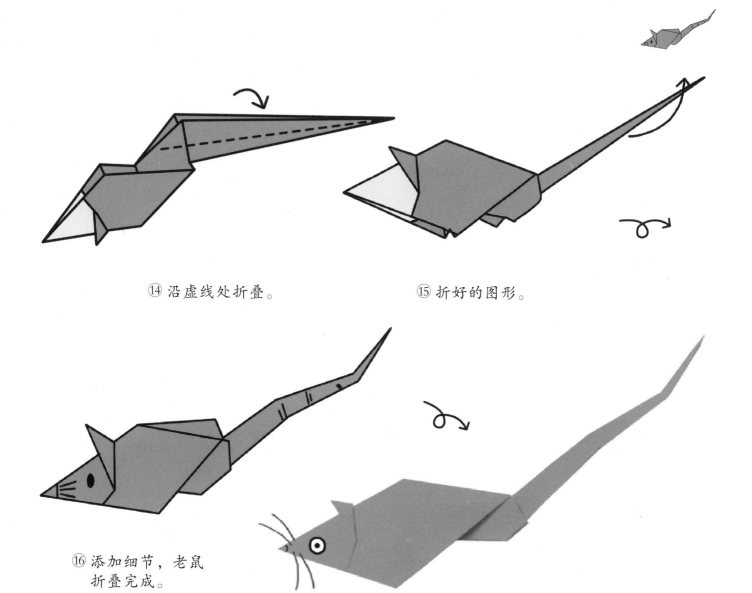

⑭ 沿虚线处折叠。

⑮ 折好的图形。

⑯ 添加细节，老鼠
折叠完成。

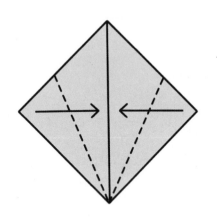

老鼠 ②

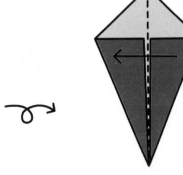

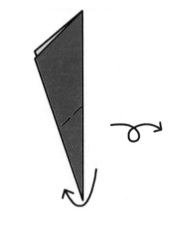

① 沿虚线向箭头方向折叠。

② 沿虚线向箭头方向折叠，转换位置。

③ 沿虚线向箭头方向翻折。

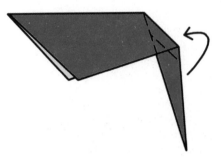

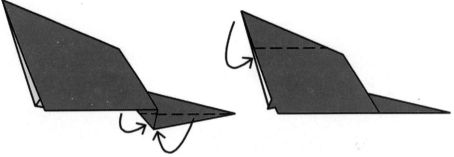

④ 沿虚线向箭头方向翻折。

⑤ 沿虚线向箭头方向折叠。

⑥ 沿虚线向箭头方向翻折。

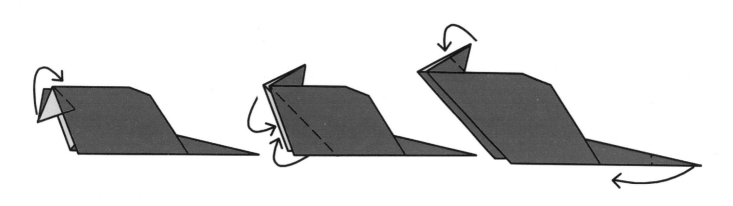

⑦ 沿虚线向箭头方
　向翻折。

⑧ 沿虚线向箭头方
　向折叠。

⑨ 沿虚线向箭头方
　向折叠。

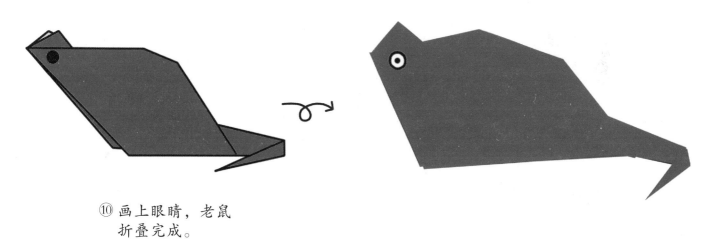

⑩ 画上眼睛，老鼠
　折叠完成。

梁 龙

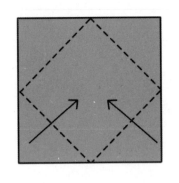

① 将一张正方形纸
沿虚线向箭头方
向折叠。

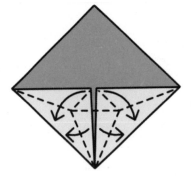

② 沿虚线向箭头
方向折叠。

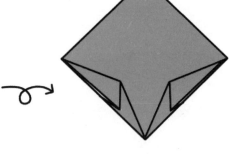

③ 翻过来。

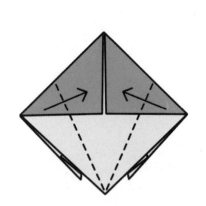

④ 沿虚线向箭头方
向折叠。

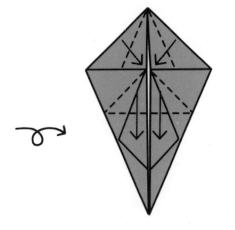

⑤ 沿虚线向箭头方
向折叠。

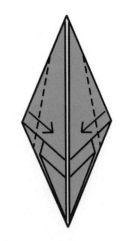

⑥ 沿虚线向箭头方
向折叠。

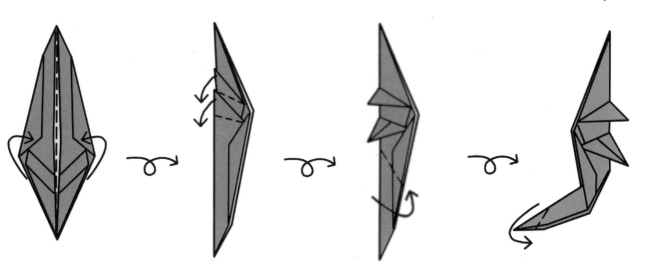

⑦ 沿虚线向箭头方
向折叠，转换位
置。

⑧ 沿虚线向箭头方
向折叠。

⑨ 沿虚线向箭头方
向翻折。

⑩ 沿虚线向箭头方
向翻折。

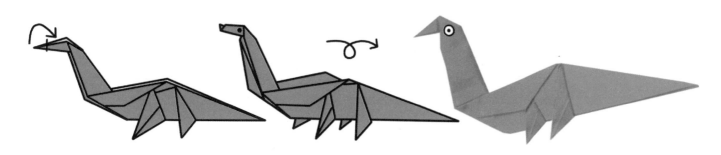

⑪ 沿虚线向箭头方
向翻折。

⑫ 画上眼睛，梁龙
折叠完成。

火 鸡

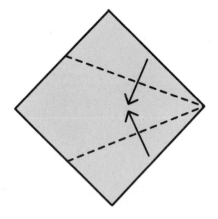

① 沿虚线向箭头方
向折叠。

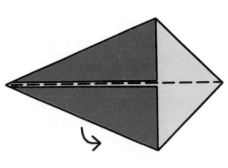

② 沿虚线向外折。

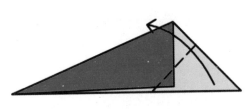

③ 沿虚线中折。

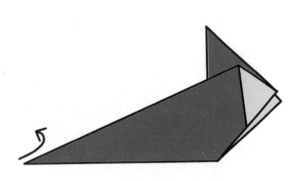

④ 按箭头回折。

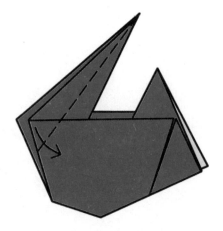

⑤ 沿虚线中折。

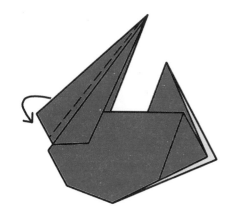

⑥ 里面也回折。

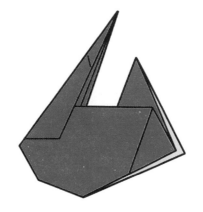

⑦ 对折。

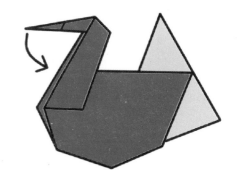

⑧ 沿虚线向箭头方
向折叠。

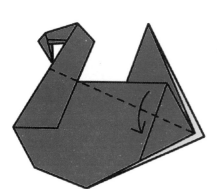

⑨ 沿虚线向箭头方
向折叠，反面也
同样。

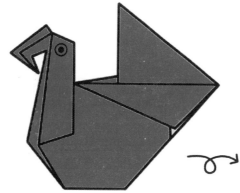

⑩ 画上眼睛，火鸡
折叠完成。

青 蛙 **1**

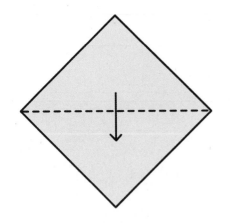

① 将一张正方形纸
沿虚线折叠。

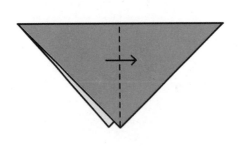

② 沿虚线向左折叠。

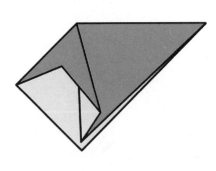

③ 按图示压折。

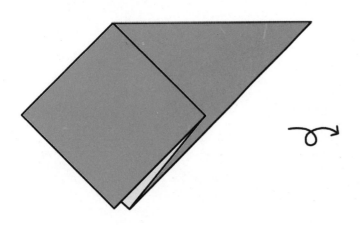

④ 背面也按上述方
法折叠。

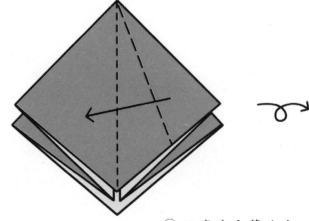

⑤ 沿虚线向箭头方
向折叠。

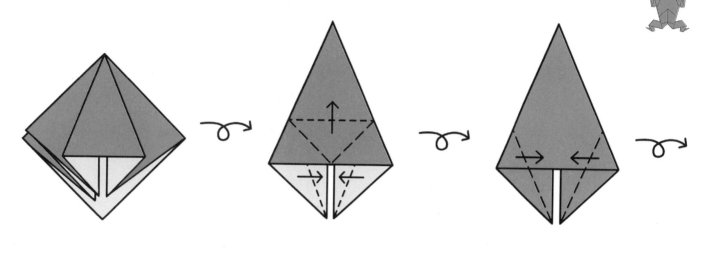

⑥ 其他三个面折法
　相同。

⑦ 沿虚线向箭头方
　向折叠。

⑧ 沿虚线向箭头方
　向折叠。

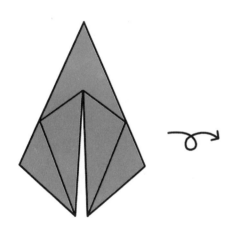

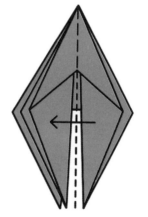

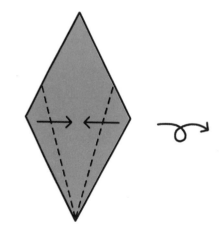

⑨ 其他三个面折法
　相同。

⑩ 沿虚线向箭头方
　向折叠。

⑪ 沿虚线折叠。

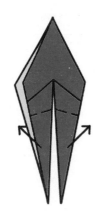

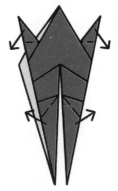

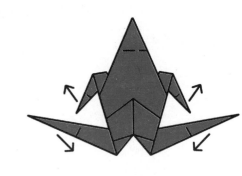

⑫ 沿虚线折叠，背面相同。

⑬ 沿虚线向箭头方向折叠。

⑭ 沿虚线向箭头方向折叠。

⑮ 向箭头方向折叠。

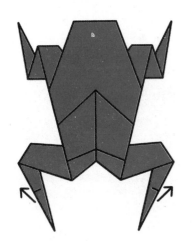

⑯ 沿虚线向箭头方向折叠。

⑰ 画好眼睛，青蛙折叠完成。

青 蛙 ❷

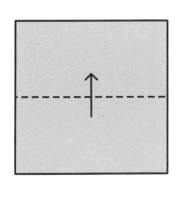

① 将一张正方形纸
沿虚线折叠。

② 沿虚线向里面折
叠。

③ 然后把另外一个
角也折到里面。

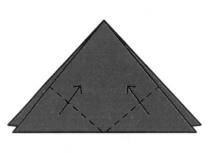

④ 沿虚线向上折
叠，翻过来。

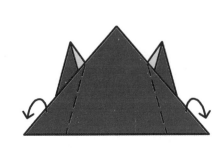

⑤ 把两个角沿虚线
向后折。

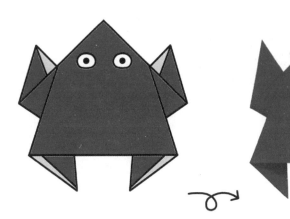

⑥ 画两只眼睛，折
成小青蛙。

海 豹

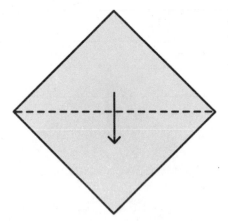

① 将一张正方形纸
沿虚线对折。

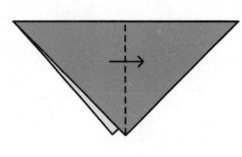

② 沿虚线向里面折
叠。

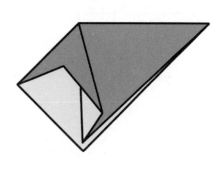

③ 折成图示形状再
把它压平。

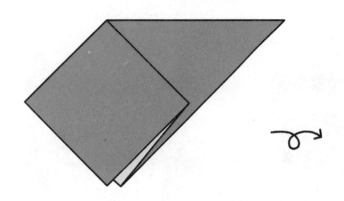

④ 后面也是这样的
折法。

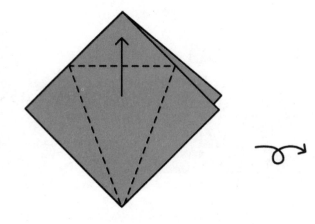

⑤ 沿虚线向箭头方
向折叠。

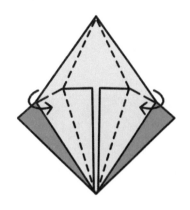

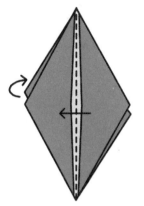

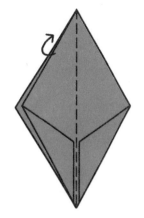

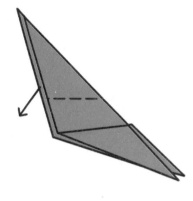

⑥ 沿虚线折叠，后面也是一样。

⑦ 分别将两个三角形向箭头方向折叠。

⑧ 沿虚线折叠。

⑨ 将里面的三角形沿虚线折叠，中间分开。

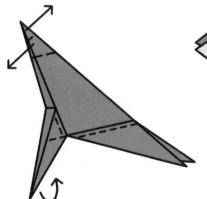

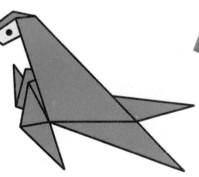

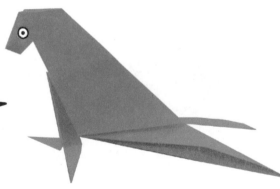

⑩ 沿虚线向箭头方向折叠，并剪开下方箭头所指的地方。

⑪ 画上眼睛即折成海豹。

小兔  1

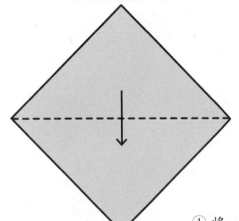

① 将一张正方形纸
沿虚线向下对折。

② 把左右两角沿虚
线向里面折叠。

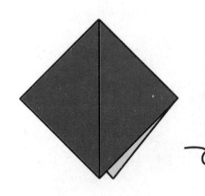

③ 折成图示模样再
展开右角。

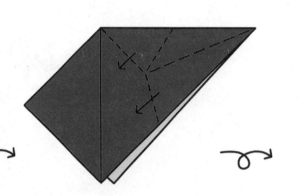

④ 沿虚线向箭头方
向折叠。

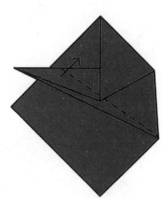

⑤ 沿虚线向箭头方
向折叠。

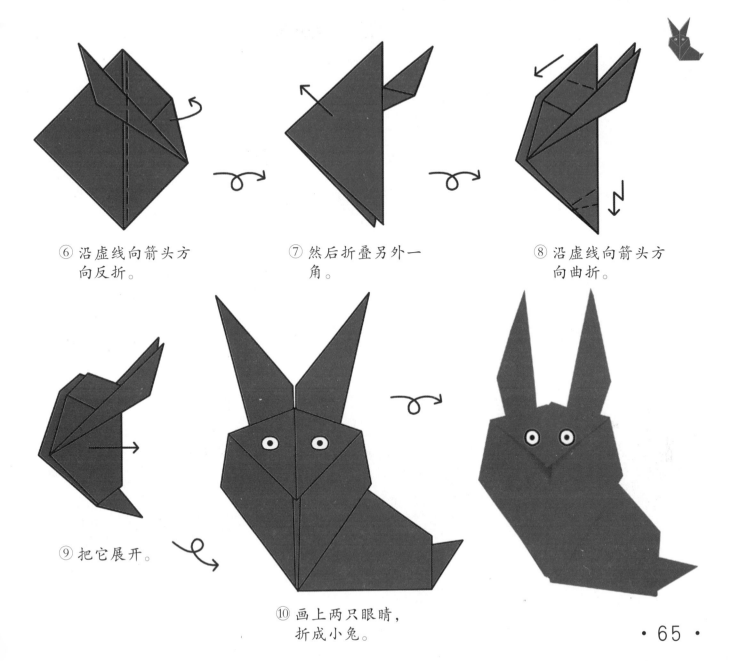

⑥ 沿虚线向箭头方
   向反折。

⑦ 然后折叠另外一
   角。

⑧ 沿虚线向箭头方
   向曲折。

⑨ 把它展开。

⑩ 画上两只眼睛，
   折成小兔。

小兔 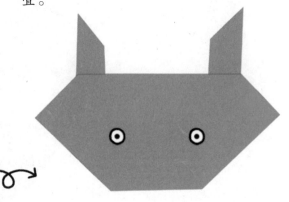 2

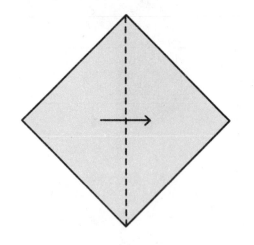

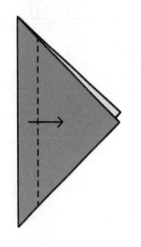

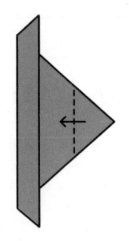

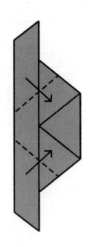

① 将一张正方形纸沿虚线向上对折。

② 沿虚线向箭头方向折叠。

③ 把上面的角沿虚线向箭头方向折叠。

④ 沿虚线折叠。

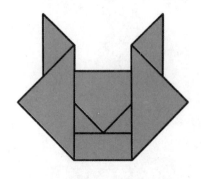

⑤ 折叠成图示模样再翻转过来。

⑥ 画上眼睛，小兔就折好了。

小兔 3

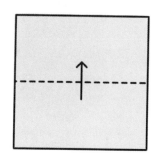

① 将一张正方形纸
沿虚线向上对折。

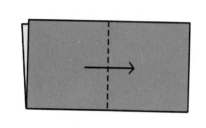

② 沿虚线向箭头方
向折叠。

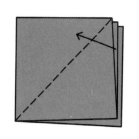

③ 展开后沿虚线向
箭头方向折叠。

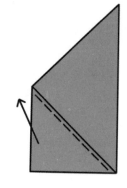

④ 背面也像前面一
样的折法折叠。

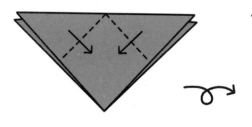

⑤ 按图示模样沿虚
线折叠。

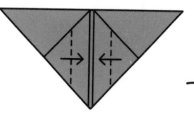

⑥ 把左右两边沿虚
线向中间折叠。

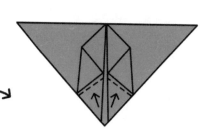

⑦ 把下面的两个角
插入中间，再翻
转。

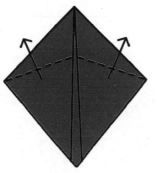

⑧ 沿虚线向箭头方向折叠。

⑨ 沿虚线向外侧折叠。

⑩ 沿虚线向中间折叠。

⑪ 沿虚线向下面折叠。

⑫ 沿虚线向箭头方向折叠。

⑬ 画好眼睛，折好小兔子。

小兔

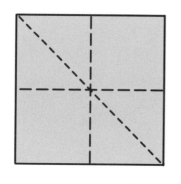

① 将一张正方形纸
沿虚线折出折痕。

② 折成双三角形后
沿虚线折叠。

③ 沿虚线向箭头方
向折叠。

④ 沿虚线向箭头方
向插入开口内侧。

⑤ 折成图示模样后
再翻转过来。

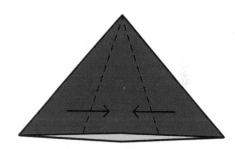

⑥ 沿虚线向箭头方
向折叠。

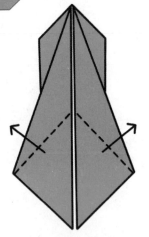

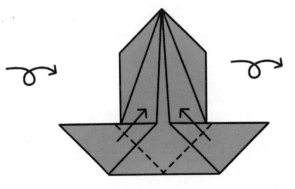

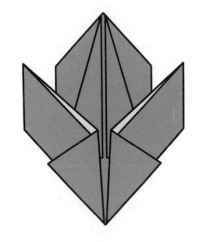

⑦ 沿虚线向箭头方
　向折叠。

⑧ 沿虚线向内侧折
　叠。

⑨ 向箭头所指的地
　方吹气。

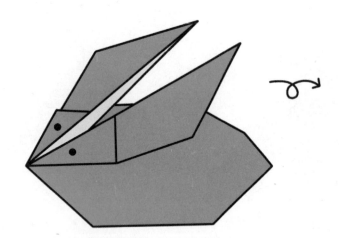

⑩ 膨胀起来，再画
　上眼睛小兔就折
　叠好了。

企 鹅

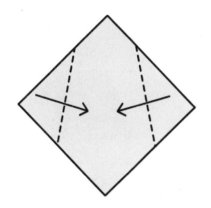

① 沿虚线向箭头方
向折叠。

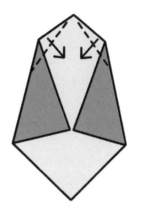

② 沿虚线向箭头方
向折叠。

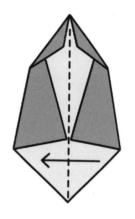

③ 沿虚线对折。

④ 沿虚线翻折。

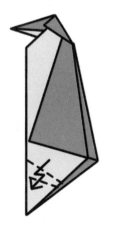

⑤ 沿虚线向箭头方
向曲折。

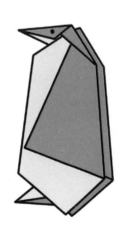

⑥ 画上眼睛，企鹅
折叠完成。

企 鹅 ②

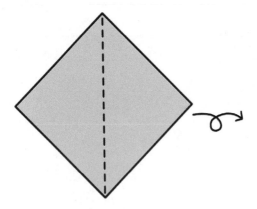

① 将一张正方形纸
沿虚线折出痕迹。

② 沿虚线向中间折。

③ 沿虚线向箭头方
向折叠。

④ 沿虚线向箭头方
向折叠。

⑤ 沿虚线向箭头方
向折叠。

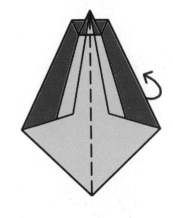

⑥ 沿虚线向背面对
折。

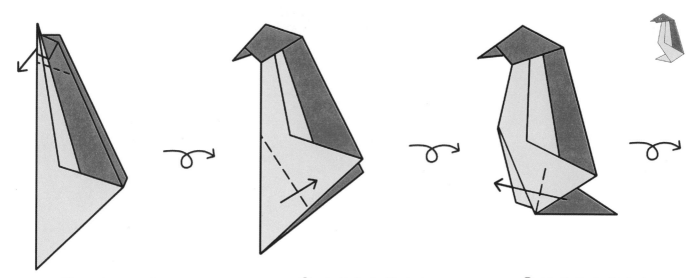

⑦ 沿虚线向箭头方
   向翻折。

⑧ 沿虚线向箭头方
   向翻折。

⑨ 沿虚线向箭头方
   向折叠。

⑩ 画好眼睛，企鹅
   折叠完成。

鸳 鸯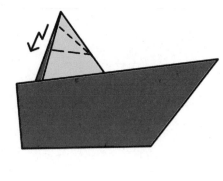

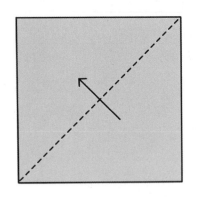

① 将一张正方形纸
沿虚线折叠。

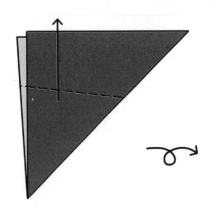

② 沿虚线向上翻折。

③ 沿虚线向下曲折。

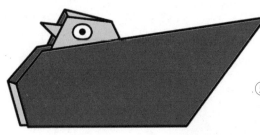

⑤ 画上眼睛，鸳鸯就
折叠好了。

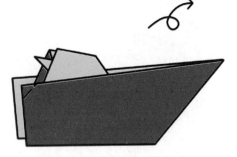

④ 沿虚线向内部折
叠。

鸳鸯 ②

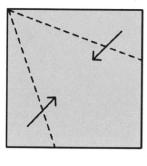 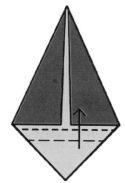   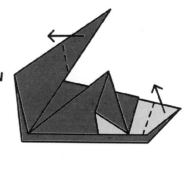

① 将一张正方形
纸沿虚线折叠。

② 沿虚线曲折。

③ 沿虚线向右
对折。

④ 沿虚线向箭头
方向翻折。

⑤ 沿虚线向箭头
方向折叠。

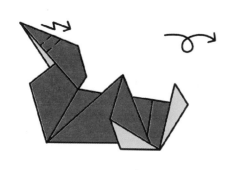 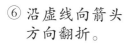  

⑥ 沿虚线向箭头
方向翻折。

⑦ 画好眼睛，折叠
好鸳鸯。

乌龟 1

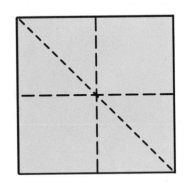

① 将一张正方形纸沿虚线折叠。

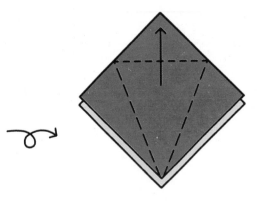

② 沿虚线向上拉折。

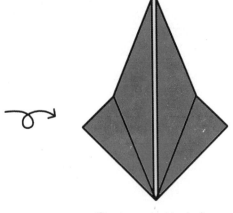

③ 然后翻转过来。

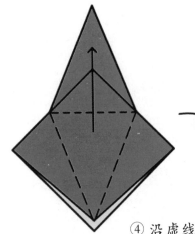

④ 沿虚线向上拉折。

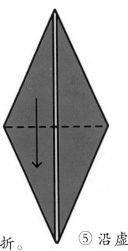

⑤ 沿虚线向下压折，背面折法相同。

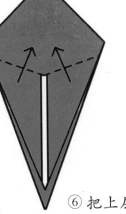

⑥ 把上层纸剪开后沿虚线向箭头方向折叠。

⑦ 沿虚线向箭头方向
折叠。

⑧ 沿虚线折叠。

⑨ 沿虚线翻折。

⑩ 沿虚线曲折。

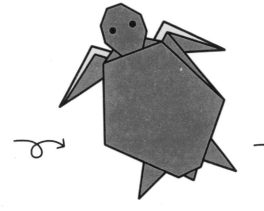

⑪ 然后翻转过来。

⑫ 画好眼睛，乌龟
折叠完成。

乌龟 2

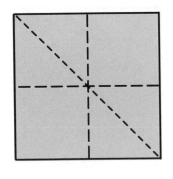

① 将一张正方形纸沿虚线折叠。

② 沿虚线向上拉折。

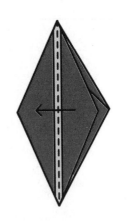

③ 沿虚线向左折叠，背面折法相同。

④ 沿虚线向箭头方向翻折。

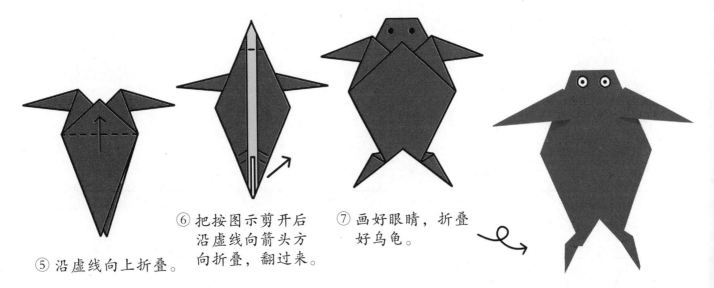

⑤ 沿虚线向上折叠。

⑥ 把按图示剪开后沿虚线向箭头方向折叠，翻过来。

⑦ 画好眼睛，折叠好乌龟。

小 鸟 ❶

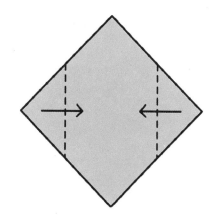

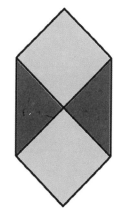

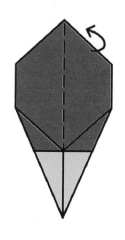

① 将一张正方形纸
沿虚线折叠。

② 然后翻转过来。

③ 沿虚线向箭头方
向折叠。

④ 沿虚线对折。

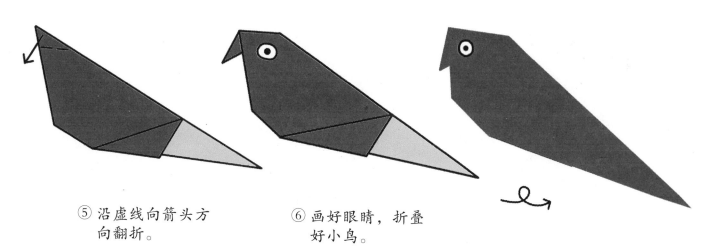

⑤ 沿虚线向箭头方
向翻折。

⑥ 画好眼睛，折叠
好小鸟。

小 鸟 2

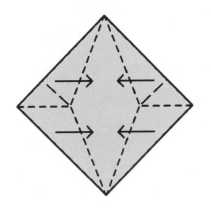

① 将一张正方形纸
   沿虚线折叠。

② 沿虚线折叠。

③ 沿虚线向箭头方
   向翻折。

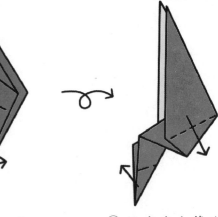

④ 沿虚线向箭头方
   向折叠。

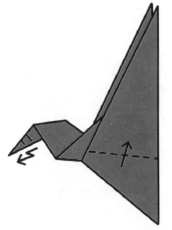

⑤ 沿虚线向箭头方
   向折叠。

⑥ 画好眼睛，折叠
   好小鸟。

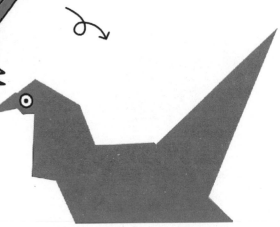

麻 雀 ①

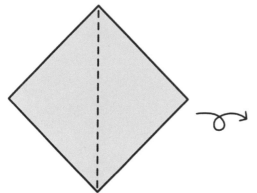

① 将一张正方形纸
沿虚线折出痕迹。

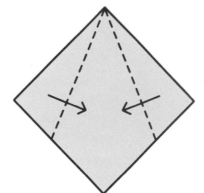

② 沿虚线折叠。

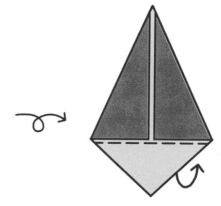

③ 沿虚线向箭头方
向折叠。

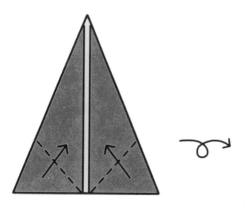

④ 沿虚线向箭头方
向折叠。

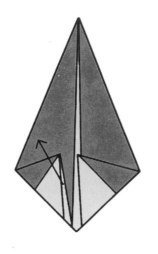

⑤ 按图示向箭头方
向拉出。

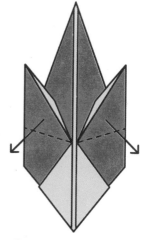

⑥ 沿虚线向箭头方
向折叠。

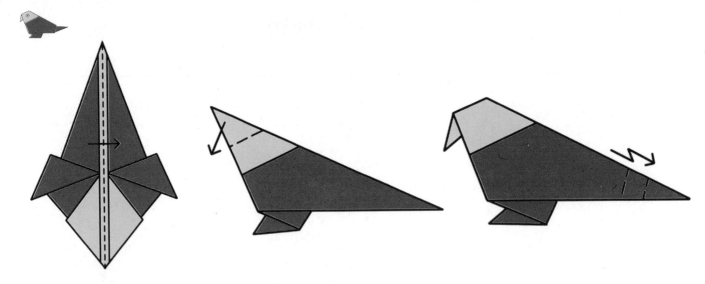

⑦ 沿虚线向箭头方
　向对折。

⑧ 沿虚线向箭头方
　向翻折。

⑨ 沿虚线向箭头方
　向曲折。

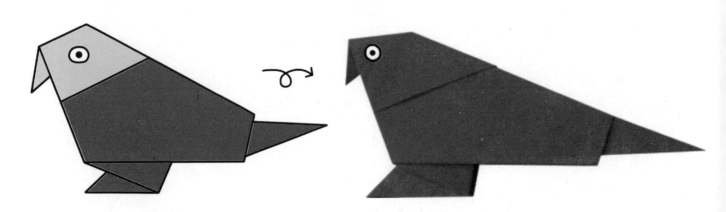

⑩ 画好眼睛，麻雀
　折叠完成。

麻 雀 ②

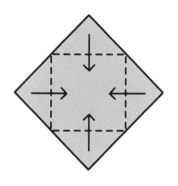

① 将一张正方形纸
沿虚线折叠。

② 沿虚线折叠。

③ 沿虚线向左对折。

④ 沿虚线翻折并剪
掉阴影部分。

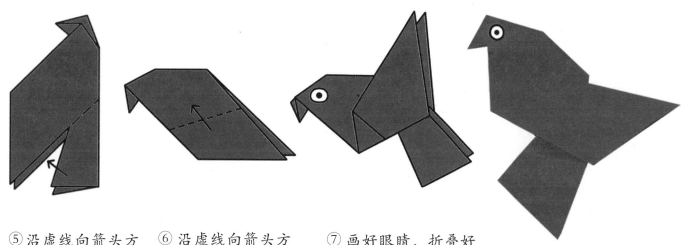

⑤ 沿虚线向箭头方
向翻折。

⑥ 沿虚线向箭头方
向折叠，背面相
同。

⑦ 画好眼睛，折叠好
麻雀。

八 哥

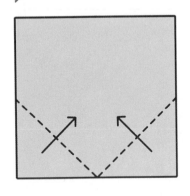

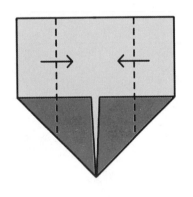

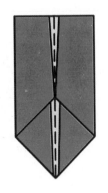

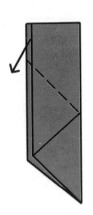

① 将一张正方形纸
沿虚线折叠。

② 沿虚线向中间折
叠。

③ 沿虚线对折。

④ 沿虚线向箭头方
向翻折。

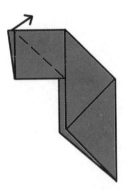

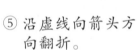

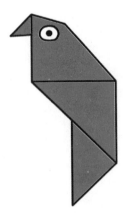

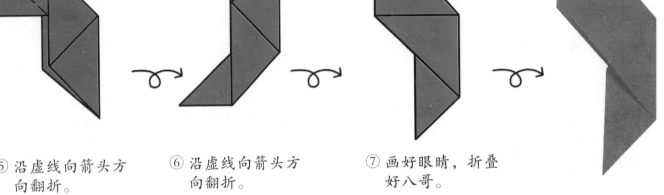

⑤ 沿虚线向箭头方
向翻折。

⑥ 沿虚线向箭头方
向翻折。

⑦ 画好眼睛，折叠
好八哥。

水 鸟

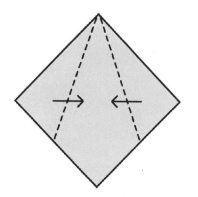

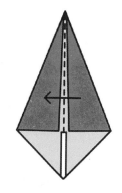

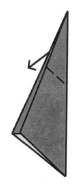

① 将一张正方形纸
沿虚线折出折痕。

② 按图示剪开后沿
虚线折叠。

③ 沿虚线向箭头方
向翻折。

④ 沿虚线向箭头方
向翻折。

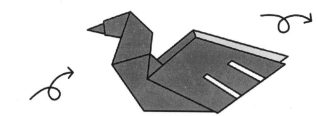

⑦ 画好眼睛，折叠
好水鸟。

⑥ 按图示剪开。

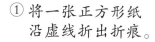

⑤ 沿虚线向箭头方
向折叠。

水 鸟 2

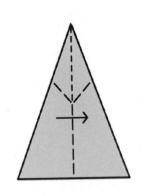

① 将一张三角形
　纸沿虚线折叠。

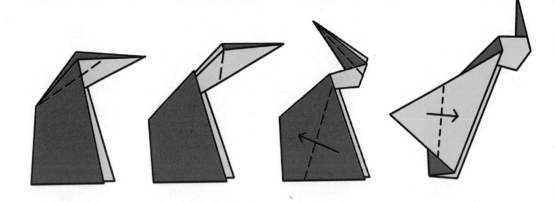

② 沿虚线翻折。　③ 沿虚线翻折。　④ 沿虚线向箭头
　　　　　　　　　　　　　　　　　　方向折叠。

⑤ 沿虚线向箭头
　方向折叠。

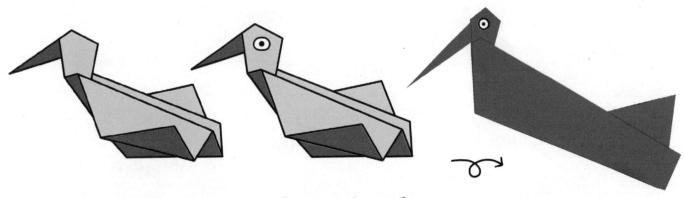

⑥ 折叠成图示模
　样。

⑦ 画好眼睛，折叠
　好水鸟。

燕 子

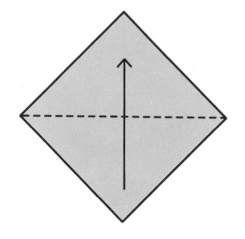

① 沿虚线向箭头方
向折叠。

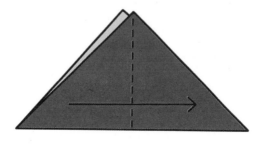

② 沿虚线向箭头方
向折叠。

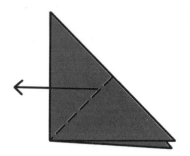

③ 立起来按平。

④ 翻过来。

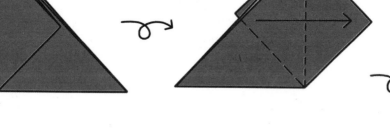

⑤ 立起来按平。

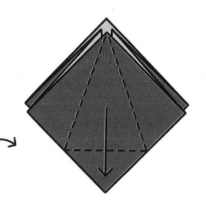

⑥ 沿虚线向箭头方
向折叠，前后两
层都折。

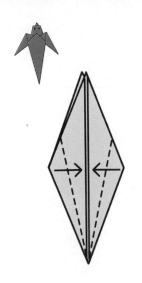

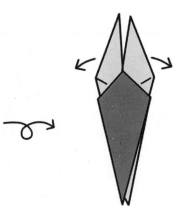

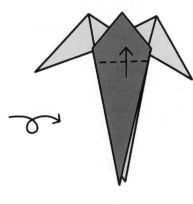

⑦ 沿虚线向箭头方向折叠。

⑧ 将前面的三角形沿虚线向箭头方向折叠，反面相同。

⑨ 沿虚线向里面折。

⑩ 沿虚线向箭头方向折叠。

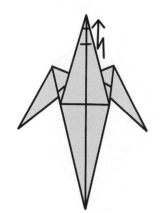

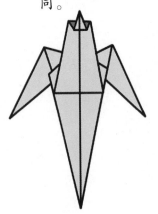

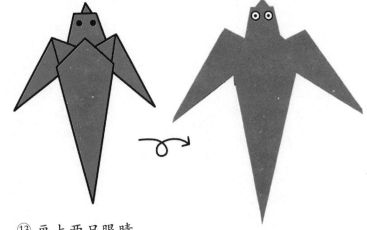

⑪ 沿虚线向箭头方向折叠。

⑫ 翻过来。

⑬ 画上两只眼睛，折成可爱的燕子。

老 鹰

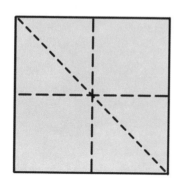

① 将一张正方形纸
  沿虚线折叠。

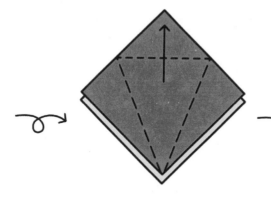

② 沿虚线向上拉折。

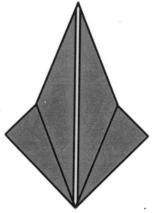

③ 然后翻转过来。

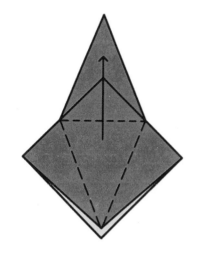

④ 沿虚线向上折叠。

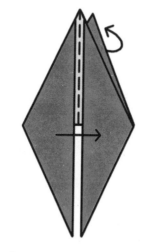

⑤ 沿虚线向箭头方向
  折叠，背面相同。

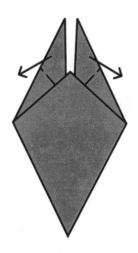

⑥ 沿虚线向箭头方向
  翻折。

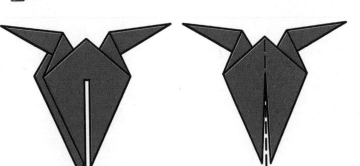

⑦ 按图示剪开。

⑧ 沿虚线对折。

⑨ 沿虚线向箭头方
向曲折。

⑩ 沿虚线向箭头方
向折叠。

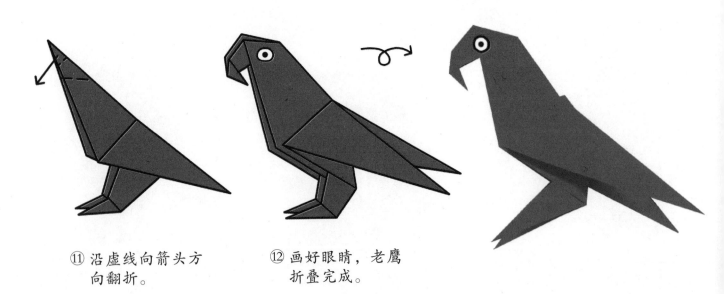

⑪ 沿虚线向箭头方
向翻折。

⑫ 画好眼睛，老鹰
折叠完成。

热带鱼

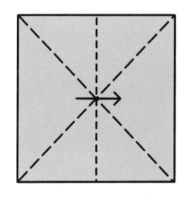

① 将一张正方形纸
　沿虚线折叠。

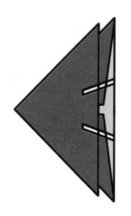

② 按图示剪开。

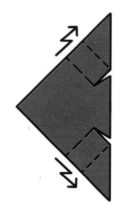

③ 沿虚线向箭头方
　向曲折。

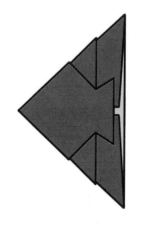

④ 折叠成图示模
　样。

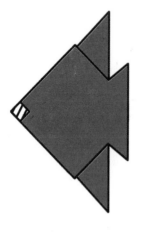

⑤ 剪掉阴影部分。

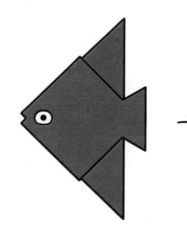

⑥ 画好眼睛，折叠好
　热带鱼。

知了 1

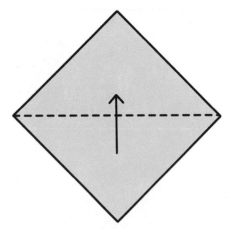

① 将一张正方形纸沿虚线向箭头方向折叠。

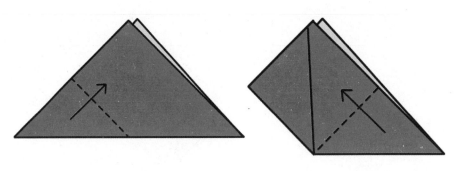

② 沿虚线向箭头方向折叠。

③ 沿虚线向箭头方向折叠。

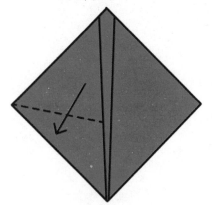

④ 沿虚线向箭头方向折叠。

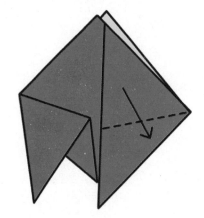

⑤ 沿虚线向箭头方向折叠。

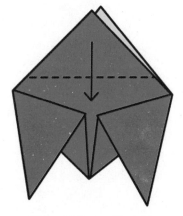

⑥ 沿虚线向箭头方向折叠。

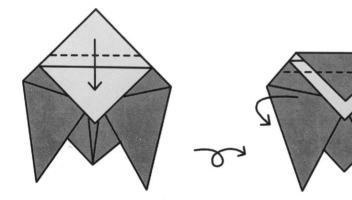

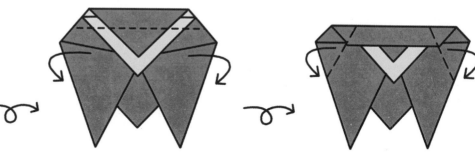

⑦ 沿虚线向箭头方
向折叠。

⑧ 沿虚线向箭头方
向折叠。

⑨ 沿虚线向箭头方
向折叠。

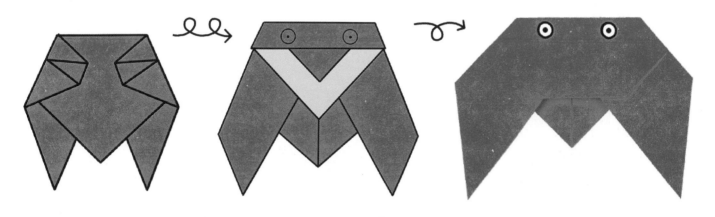

⑩ 翻过来。

⑪ 画上眼睛，知了
折叠完成。

知 了 2

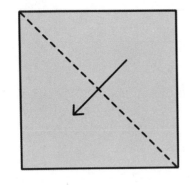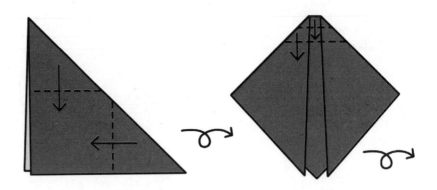

① 将一张正方形纸
沿虚线向箭头方
向折叠。

② 沿虚线向箭头方
向折叠。

③ 沿虚线向箭头方
向折叠，翻过来。

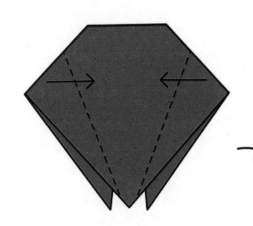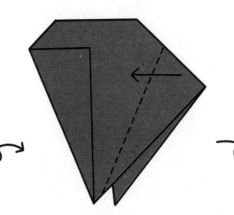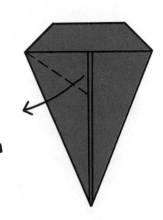

④ 沿虚线向箭头方
向折叠。

⑤ 沿虚线向箭头方
向折叠。

⑥ 沿虚线向箭头方
向折叠。

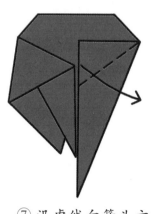

⑦ 沿虚线向箭头方
向折叠。

⑧ 沿虚线向下折叠。

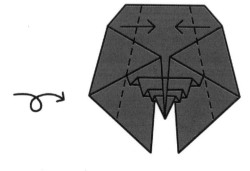

⑨ 沿虚线向箭头方
向折叠。

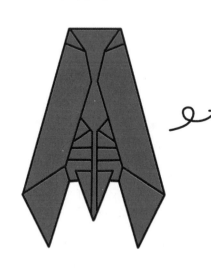

⑩ 翻过来。

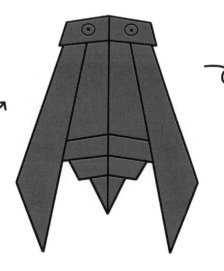

⑪ 画上眼睛，知了
折叠完成。

知了 3

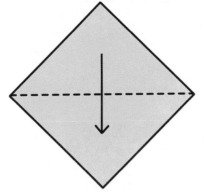

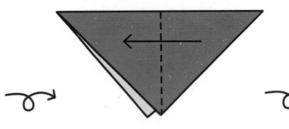

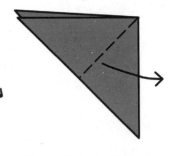

① 将一张正方形纸沿虚线向箭头方向折叠。

② 沿虚线向箭头方向折叠。

③ 沿虚线向箭头方向折叠，再将三角形的袋口向箭头方向展开。

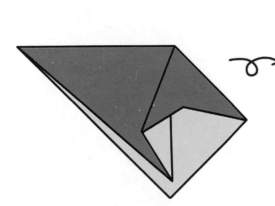

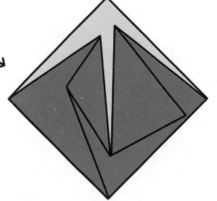

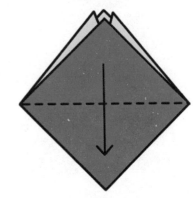

④ 沿图3形成的折印折叠，翻过来。

⑤ 后面也同图3一样折叠。

⑥ 将前面一层的三角形沿虚线向箭头方向折叠。

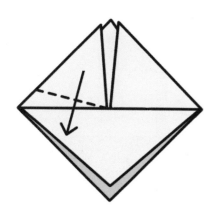

⑦ 将前面的三角形
沿虚线向箭头方
向折叠。

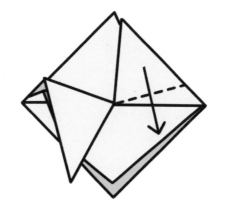

⑧ 沿虚线向箭头方
向折叠。

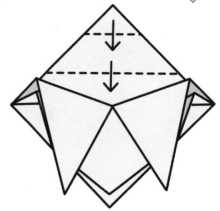

⑨ 沿虚线向箭头方
向折叠。

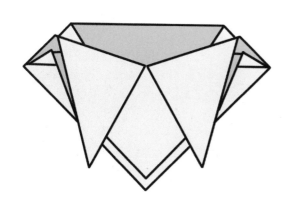

⑩ 翻过来。

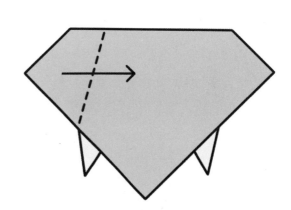

⑪ 沿虚线向箭头方
折叠。

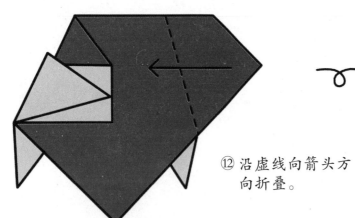

⑫ 沿虚线向箭头方向折叠。

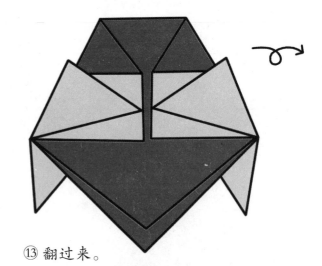

⑬ 翻过来。

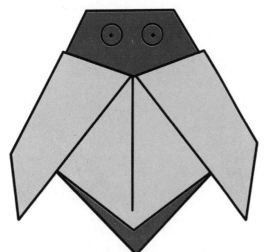

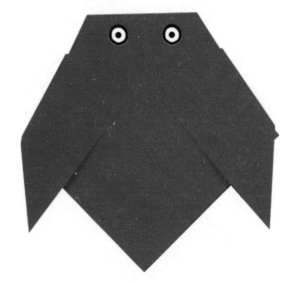

⑭ 画上眼睛，知了折叠完成。

树

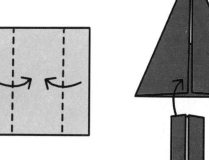

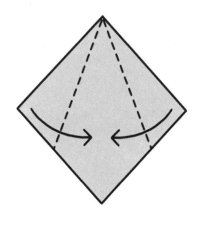

① 沿虚线向箭头方向折叠。

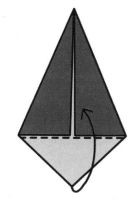

② 沿虚线向箭头方向折叠。

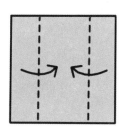

③ 另取一张纸，沿虚线向箭头方向折叠。

④ 把图2和图3折成的形状摆在一起。

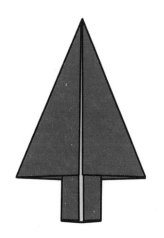

⑤ 把他们插在一起。

⑥ 翻过来，树折叠完成。

番 茄

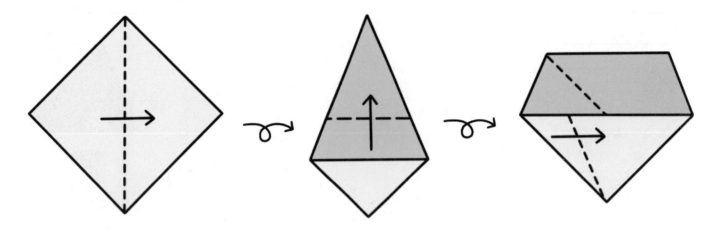

① 将一张正方形纸
   沿虚线折叠然后
   展开，作折痕。

② 沿对角线集中向
   顶角折。

③ 顶角向外折，与
   底角重合。

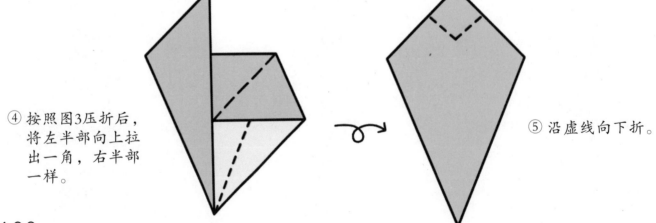

④ 按照图3压折后，
   将左半部向上拉
   出一角，右半部
   一样。

⑤ 沿虚线向下折。

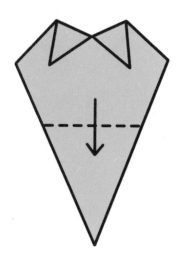

⑥ 底角沿虚线向后
折。

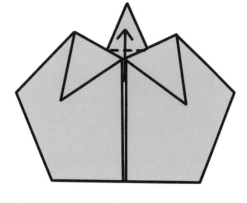

⑦ 将上层顶角沿虚
线向内折。

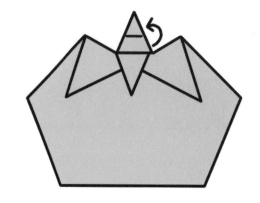

⑧ 将上层顶角沿虚
线向外折。

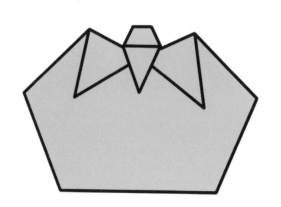

⑨ 番茄折叠完成。

草莓

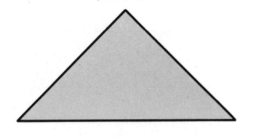

① 将一张正方形纸
向上对角折。

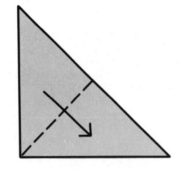

② 将左侧底角向右
侧底角对折，再
将上层的右侧角
沿虚线向后折，
压出折痕。

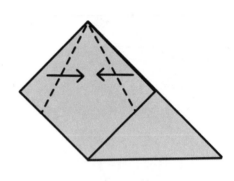

③ 打开上层，按照
拉痕拉成正方形，
背面相同。

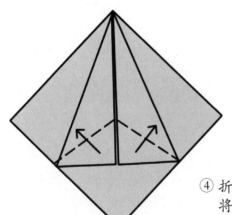

④ 折成双正方形，
将上层的两侧角
沿中心线集中向
顶角折，再按照
虚线压折中心两
角。

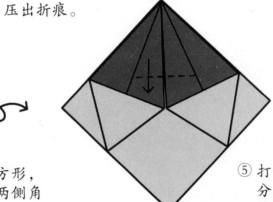

⑤ 打开中心两角，
分别向两侧压折，
背面一样，将顶
角第一层沿虚线
向下折。

⑥ 沿虚线向外折。

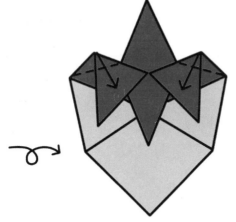

⑦ 沿虚线将两角向
下折。

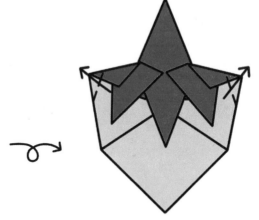

⑧ 沿虚线向后折。

⑨ 顶角沿虚线向后
折。

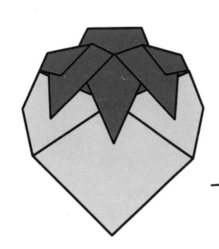

⑩ 草莓折叠完成。

礼 帽

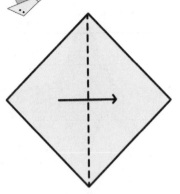

① 把一张正方形沿
虚线对折。

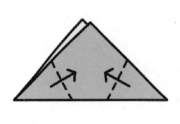

② 沿虚线朝箭头方
向折叠。

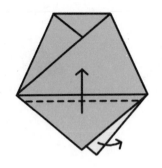

③ 沿虚线朝箭头方
向折叠。

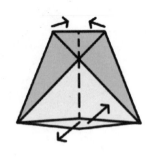

④ 沿虚线朝箭头方
向折叠。

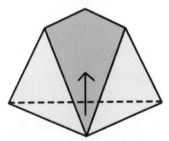

⑤ 沿虚线朝箭头方
向折叠。

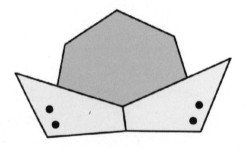

⑦ 礼帽折叠完成。

⑥ 左右沿虚线朝箭
头方向折叠。

骑 士 帽

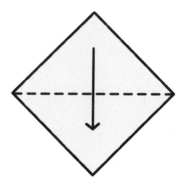

① 把一张正方形沿
虚线对折。

② 沿虚线朝箭头方
向折叠。

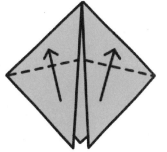

③ 沿虚线朝箭头方
向折叠。

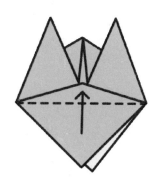

④ 沿虚线朝箭头方
向折叠。

⑤ 按图4折叠之后，
沿虚线朝箭头方
向折叠，翻过来。

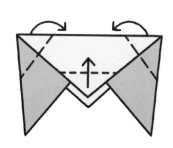

⑥ 沿虚线朝箭头方
向折叠，两角向
内折进。

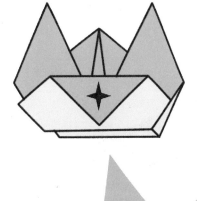

⑦ 骑士帽折叠完成。

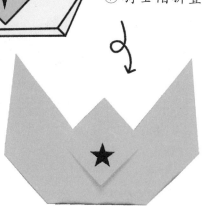

尖 头 盔

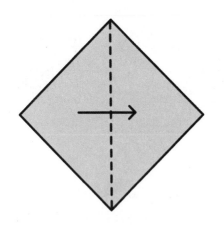

① 把一张正方形沿
虚线对折。

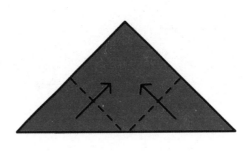

② 沿虚线朝箭头方
向折叠。

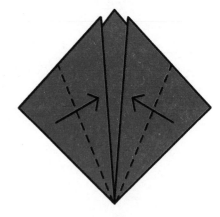

③ 沿虚线朝箭头方
向折叠。

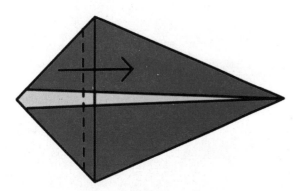

④ 将前面的三角形
沿虚线朝箭头方
向折叠。

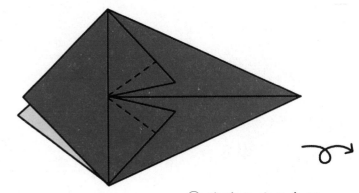

⑤ 将前面的三角形
沿虚线折叠。

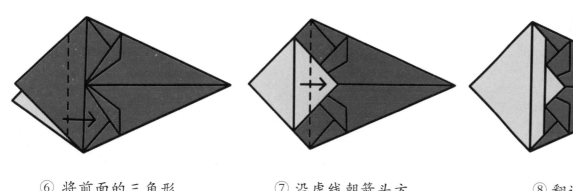

⑥ 将前面的三角形
沿虚线朝箭头方
向折叠。

⑦ 沿虚线朝箭头方
向折叠。

⑧ 翻过来。

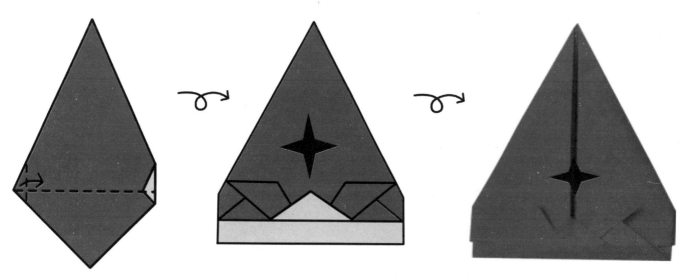

⑨ 沿虚线折叠，翻
过来。

⑩ 尖头盔折叠完成。

鬼脸帽

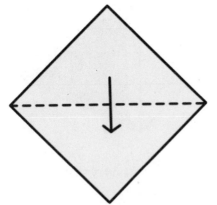

① 把一张正方形沿虚线对折。

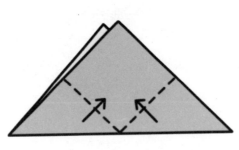

② 沿虚线朝箭头方向折叠。

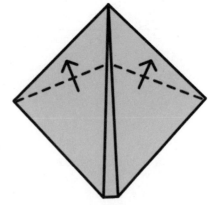

③ 沿虚线朝箭头方向折叠。

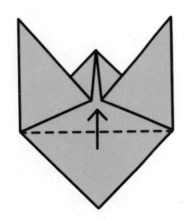

④ 将前面的一层沿虚线朝箭头方向折叠。

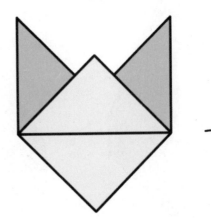

⑤ 翻过来。

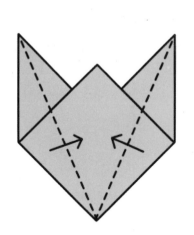

⑥ 沿虚线朝箭头方向折叠。

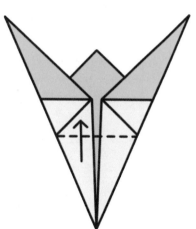

⑦ 沿虚线朝箭头方向折叠。

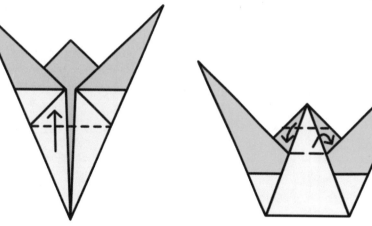

⑧ 沿虚线朝箭头方向折叠。

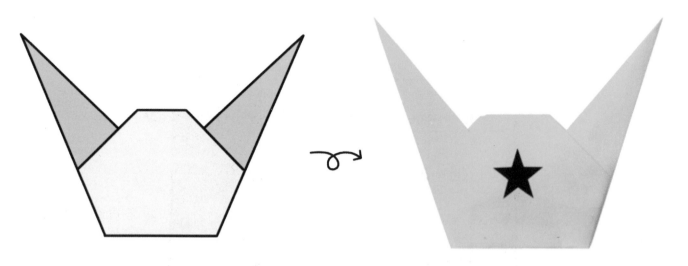

⑨ 鬼脸帽折叠完成。

拖 鞋

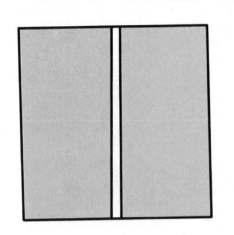

① 把一张正方形沿
虚线对折。

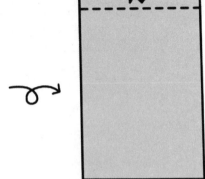

② 沿虚线朝箭头方
向折叠。

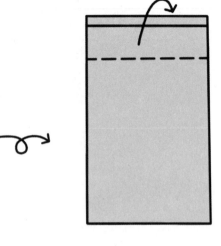

③ 沿虚线朝箭头方
向折叠。

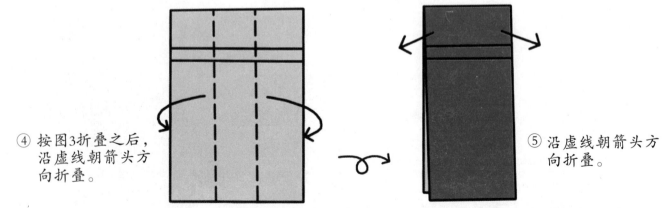

④ 按图3折叠之后，
沿虚线朝箭头方
向折叠。

⑤ 沿虚线朝箭头方
向折叠。

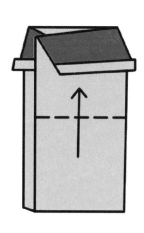

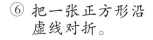

⑥ 把一张正方形沿
　虚线对折。

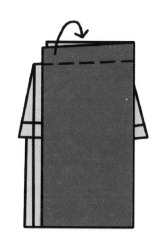

⑦ 沿虚线朝箭头方
　向折叠。

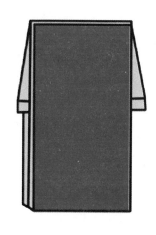

⑧ 这是由图7折叠
　出的图形。

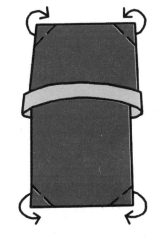

⑨ 沿虚线朝箭头方
　向折叠。

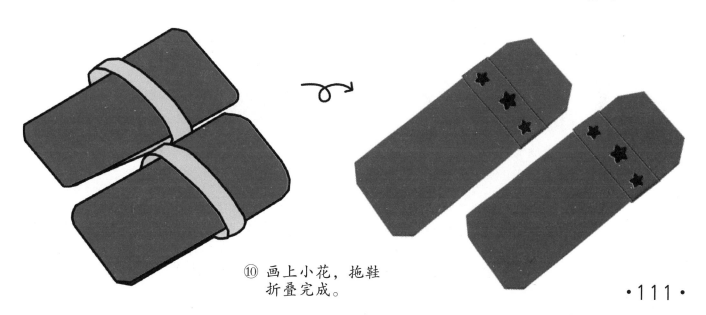

⑩ 画上小花，拖鞋
　折叠完成。

衬 衫

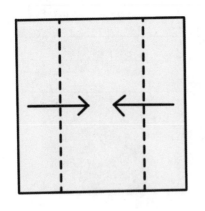

① 把一张正方形沿
虚线折叠。

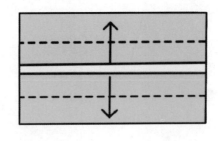

② 沿虚线朝箭头方
向折叠。

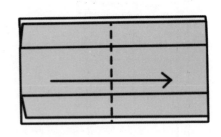

③ 沿虚线朝箭头方
向折叠。

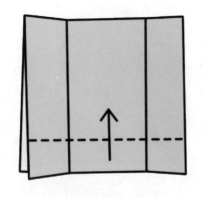

④ 沿虚线朝箭头方
向折叠。

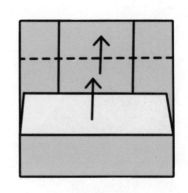

⑤ 沿虚线朝箭头方
向折叠。

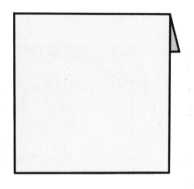

⑥ 按图5折叠之后，
翻过来。

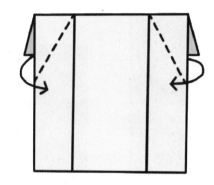

⑦ 沿虚线朝箭头方
向折叠。

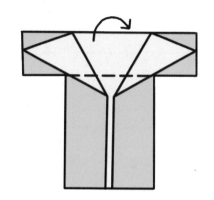

⑧ 沿虚线朝箭头方
向折叠。

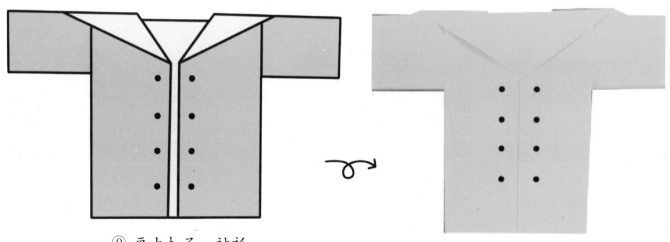

⑨ 画上扣子，衬衫
折叠完成。

房　子　1

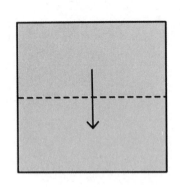

① 将一张正方形纸
　沿虚线向箭头方
　向折叠。

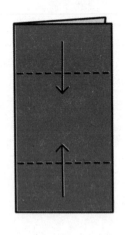

② 沿虚线向箭头方
　向折叠。

③ 沿虚线折印儿。

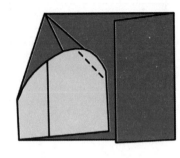

④ 张开三角形的袋
　口，折压成图5
　的形状。

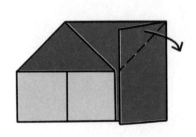

⑤ 另一端也跟图4一
　样折叠。

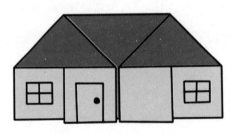

⑥ 画上门和窗户，
　即折成小房子。

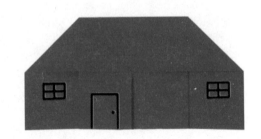

房子 ②

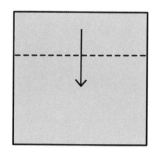

① 将一张正方形纸
沿虚线向箭头方
向折叠。

② 翻过来。

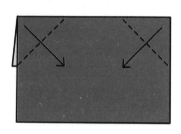

③ 沿虚线向箭头方
向折叠。

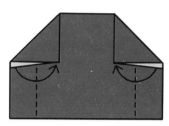

④ 沿虚线向箭头方
向折叠。

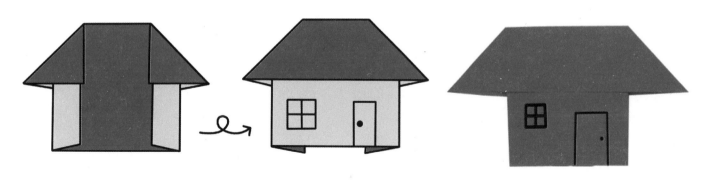

⑤ 翻过来。

⑥ 画上门和窗户，
完成。

风 车

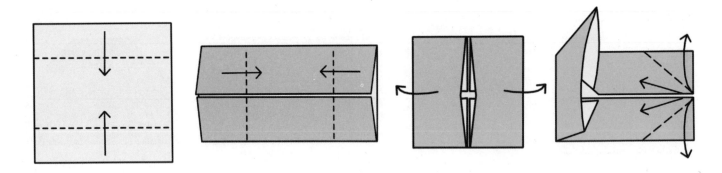

① 沿虚线向箭头方
   向折叠。

② 沿虚线向箭头方
   向折叠。

③ 按图示展开。

④ 沿虚线向箭头方
   向展开后再折叠。

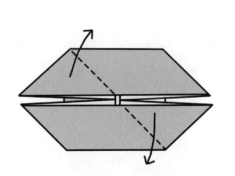

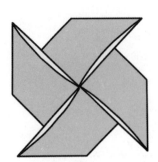

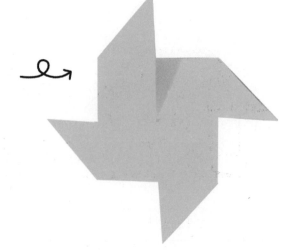

⑤ 沿虚线向箭头方
   向折叠。

⑥ 折叠成风车。

战斗机

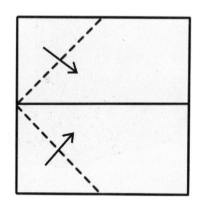

① 沿虚线向中间折叠。

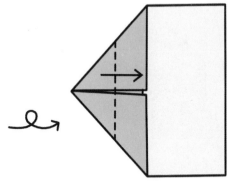

② 沿虚线折叠。

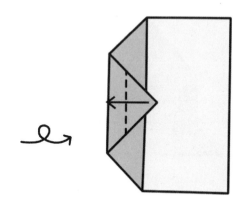

③ 沿虚线折叠。

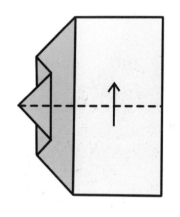

④ 沿虚线折叠。

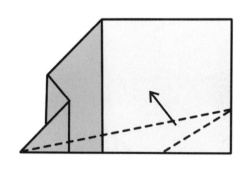

⑤ 沿虚线折叠。

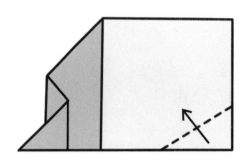

⑥ 沿虚线折叠。

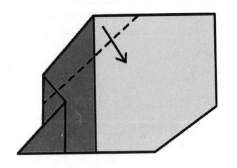

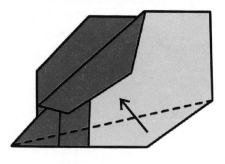

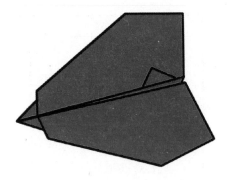

⑦ 沿虚线折叠。

⑧ 沿虚线折叠。

⑩ 按步骤折得此图形。

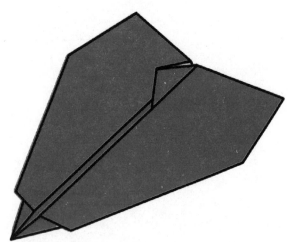

⑪ 展开，战斗机折
叠完成。

小 船

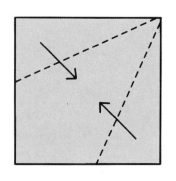

① 将一张正方形纸沿虚线向箭头方向折叠。

② 沿虚线折叠。

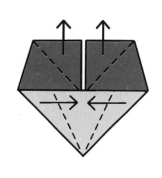

③ 沿虚线向箭头方向折叠。

④ 沿虚线将左边向里折，右边向外折。

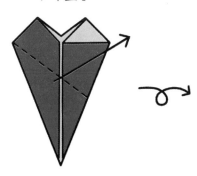

⑤ 沿虚线向箭头方向折叠。

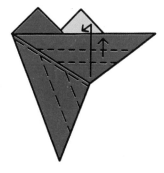

⑥ 沿虚线折叠。

⑦ 折叠成小船。

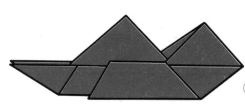

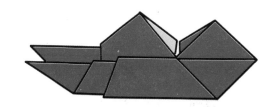

⑧ 从正面看时，是一条立体的小船。

轰 炸 机

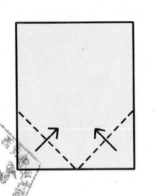

① 沿虚线向箭头方
　向折叠。

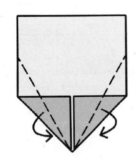

② 沿虚线向箭头方
　向折叠。

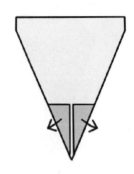

③ 按图示打开左右
　三角。

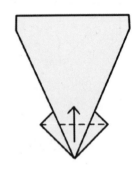

④ 沿虚线向箭头方
　向折叠。

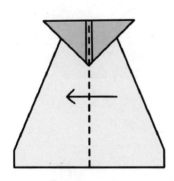

⑤ 沿虚线向箭头方
　向折叠。

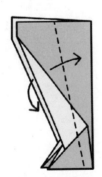

⑥ 沿虚线将两翼展
　开成水平状。

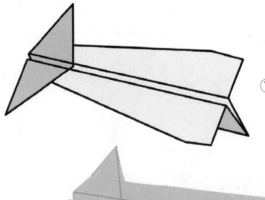

⑦ 折叠成轰炸机。